JN005243

新版　〈賄賂〉のある暮らし——市場経済化後のカザフスタン

装幀＝コバヤシタケシ
組版＝鈴木さゆみ

新版〈賄賂〉のある暮らし◎目次

プロローグ　〈賄賂〉を見る眼

はじめに

男が警察に就職した。しかし、いつまでたっても給料を受け取りに行かない。職場から連絡を受けた男はびっくり。

「制服と拳銃だけじゃなくて、給料までもらえるのか?!」

これはカザフスタンでよく聞く小話だが、オチは、警官は「袖の下」でしっかり稼いでいるので安月給のことなど忘れている、というところにある。なかでも交通警察は、しばしば交通違反を理由に車を止めてはカネをせびるので、一般市民が賄賂を渡す相手としてはいちばん身近な存在のひとつだ。

こんな小話が流行る社会状況とは、いったいどのようなものなのだろうか。

冷戦終結から三〇年を経て、旧ソ連・東欧地域は大きな変容を遂げた。社会主義ブロックとしての東欧とソヴィエト連邦は消滅・解体し、ソ連の一部を構成していたバルト諸国と旧東欧諸国（中東欧）の多くは欧州連合（EU）の加盟国となった。その過程で、国ごとの違いも生じている。中東欧では複数政党制による民主主義体制が曲がりなりにも定着したのに対し、その他の国々では全体として民主化が後退、もしくは停滞している。

産業構造や経済発展のあり方も多様である。社会主義計画経済から市場経済への移行を目指してきたという点では同じだが、体制転換以前に存在した違いに加え、外資導入の成否や資源の有無などによって、平均的な生活水準には少なからぬ差異が生まれている。

他方で、共通する問題もある。その最たるものは格差の拡大だ。共産党政権下で謳われた平等主義は建て前だけのものではなく、それなりの実態をともなっていた。しかし、市場経済メカニズムの導入後は、歴然とした貧富の差が目につくようになった。これは必ずしも、自由な経済活動が可能になった結果、起業家精神に富む人物が成功を収めたからではない。不透明なプロセスのもと、エリート主導でおこなわれた国有資産の私有化が、一握りの人びとによる富の独占を可能にしたとの見方は根強い。

これに関連して、もうひとつ、旧社会主義諸国のあいだで似通っていることがある。腐敗に関する国民の認識だ。各国の腐敗の深刻度は一様ではないが、各種の世論調査が示すところでは、社会主義時代に比べて腐敗が悪化した、という見解が多数派となっている。こうした認識が客観的事実にもとづくものか否かはひとまず置くとして、体制転換後に腐敗がより深刻化したという考えが広く共有されているのは事実である[1]。

では、「腐敗」(corruption)とはなにか。もっとも一般的な定義である「私的利益のための職権濫用」は、世界銀行をはじめとする国際機関や、反腐敗NGO(非政府組織)として知られるトランスペアレンシー・インターナショナルでも用いられている。具体的には、贈収賄、リベートの授受、公務員によるゆすりや横領、レントシーキング(企業による超過利潤獲得のための活動)などに加え、口利き、縁故主義や身びいき、クライエンテリズム(恩顧庇護主義)などを含む幅広い概念である。また、政府高官から下級役人までさまざまなレベルを含み、問題となる行為の内容や重大性、社会的影響も異なる。

これらの多種多様な行為のうち、本書で中心的にとりあげるのは、一般市民が日常的に利用するカネとコネである。舞台は、ユーラシア大陸のほぼ真ん中に位置する、中央アジアの新興国カザフスタンだ。同国は一九九一年のソヴィエト連邦崩壊、独立国家の建設、市場経済化という、大きな変化を潜り抜けてきた。カザフスタンで観察される非公式な慣行は、こうした歴史的経験を共有する他の旧ソ連諸国と似通った特質をもっている。他方で、伝統的に血縁集団の結束が重視されるカザフ社会においては、親族ネットワークが果たす役割という点で、ロシア人などにはない特色もある。

カザフスタンの人びとは、生活上、あるいは仕事をするうえで直面するさまざまな問題を解決するために、カネとコネをどのように駆使し、使い分け、あるいは組み合わせているのか。本書では、彼らの多様なサバイバル戦略を具体的に描き出すと同時に、現地の人びとが直面する厳しい現実だけでなく、そのたくましい暮らしぶりを紹介したい。

あらかじめお断りしておくと、ここでは、どのようなケースが法的あるいは倫理的に許容されうるのか、基準を設けて分類したり、その是非を問うことが目的ではない。なぜなら、以下で述べるように、純粋な謝意を示すための贈り物と、便宜と引き換えに渡される賄賂との境界線は、非常にあいまいで可変的だからである。

また、本書はカザフスタンの負の側面をとりあげるが、その特殊性をことさらに強調する意図はない。いうまでもなく、どの社会にも腐敗は存在する。日本でも、公共事業がらみの汚職スキャンダルや、政治家と特定業界の癒着などの事例は枚挙に暇がない。医療者への心付けはいま多くの病院で禁止されているが、実際にはこっそり渡す患者もまだまだいるようだ。縁故採用や裏口入学も決して珍しくない。二〇一八年には、東京医科大学が私大支援事業の対象に選定されることと引き換えに、文部科学省の局長の息子を不正に合格させたことが発覚して話題になった。コネとカネの問題は、その広まり具合や背景は異なるものの、日本に住む私たちにとっても決して他人事ではないのである。

非公式な問題解決

筆者は一九九〇年代半ば以降、ほぼ毎年カザフスタンを訪れているが、初めて長期滞在したのは一九九九年から二〇〇一年にかけての二年間である。おそらく、現地で生活をするようになってからだと思うが、友人や知人から、賄賂にまつわる話をしばしば耳にするようになった。

老親を公立病院に入院させた女友だちは、本来ならすべて無料のはずなのに「謝礼」を何度も払わされたと、憤懣やるかたない調子で語っていた。孫が入園した保育園の園長に、文房具だけでなくトイレの備品まで買って持ってくるよう言われたと、あきれた調子で話してくれた大学教授もいる。知り合いの車に同乗しているときに、交通警察と交渉するさまを近くで観察する羽目になったことも一度ではない。なかには、「娘を国有企業に就職させたいが、誰にお金を渡せばいいのかわからない」と悩む人もいた。

こうした非公式な金品のやりとりは、カザフスタンの人びとの日常生活の一部になっているのではないか。そう考えた筆者は、二〇一一年に二度目の長期滞在の機会を得て、一般市民を対象とした聞き取りを始めた。やや意外に思われるかもしれないが、インタビュー相手の多くは、自分自身の経験や身近で見聞きした事例を積極的に語ってくれた。そもそも、見知らぬ外国人を警戒する人ははじめから断るだろうが、面談に応じてくれた人たちとの会話がはずんだ理由は二つ考えられる。

第一の動機は怒りだ。役人や教師、医療者などに袖の下を要求され、不本意ながら払わされた経験を持つ人たちは、それを誰かと共有したいという欲求を持っている。第二に、コネやカネを使って非公式に物事を処理することは、しばしば当然視されている。みんながやっている公然の秘密だから隠すまでもない、というわけだ。

とはいえ、カザフスタンの人びとがみずからの行為の帰結に無頓着なわけではない。たとえ強要されたにせよ、カネを渡すことによってわれわれ自身が腐敗を助長しているのだ、と彼らは言う。すなわち、自分たちが腐敗の一方的な被害者ではなく、参加者でもあることを自覚しているのである。

ではなぜ、人びとは公式なルールを避けて、非公式に物事を解決しようとするのか。この問いに対するもっともありきたりな説明は、そうせざるをえない状況に置かれているから、というものだ。さまざまな手続きが煩雑で膨大な手間がかかり費用もかさむため、心付けを渡したり知り合いに頼んだりしたほうが、時間もお金も節約になる。また、一刻を争う場面で医師に賄賂を要求されるなど、事実上、ほかに選択肢がない場合もある。

他方、カネを払えば、あるいはコネさえあれば、本人の努力や能力に関係なく学位が取れ、稼ぎのいい仕事に就くこともできる。わざわざ自動車教習所に通って試験をパスしなくても、運転免許証が買える。兵役を回避したり、犯罪をもみ消したりすることすら不可能ではない。公式にはできないはずのこともやり方しだいで可能になる社会は、ある意味「便利」な社会ともいえる。

カザフスタンでは、カネを渡した見返りとして便宜を受ける行為は、ソ連崩壊後、とくに一九九〇年代半ばごろから増大したというのが、多くの人の共通認識となっている。そして、ここで強調しておきたいのは、この変化は単に贈収賄の拡大としてだけではなく、人間関係やメンタリティの変化として理解されているという点だ。

公式な手続きを避けるために非公式な手段を使うこと自体は、社会主義時代から広まっていた。親族や友人・知人などの個人的なネットワークのなかで便宜を交換しあうのは、ごくふつうの行為であ

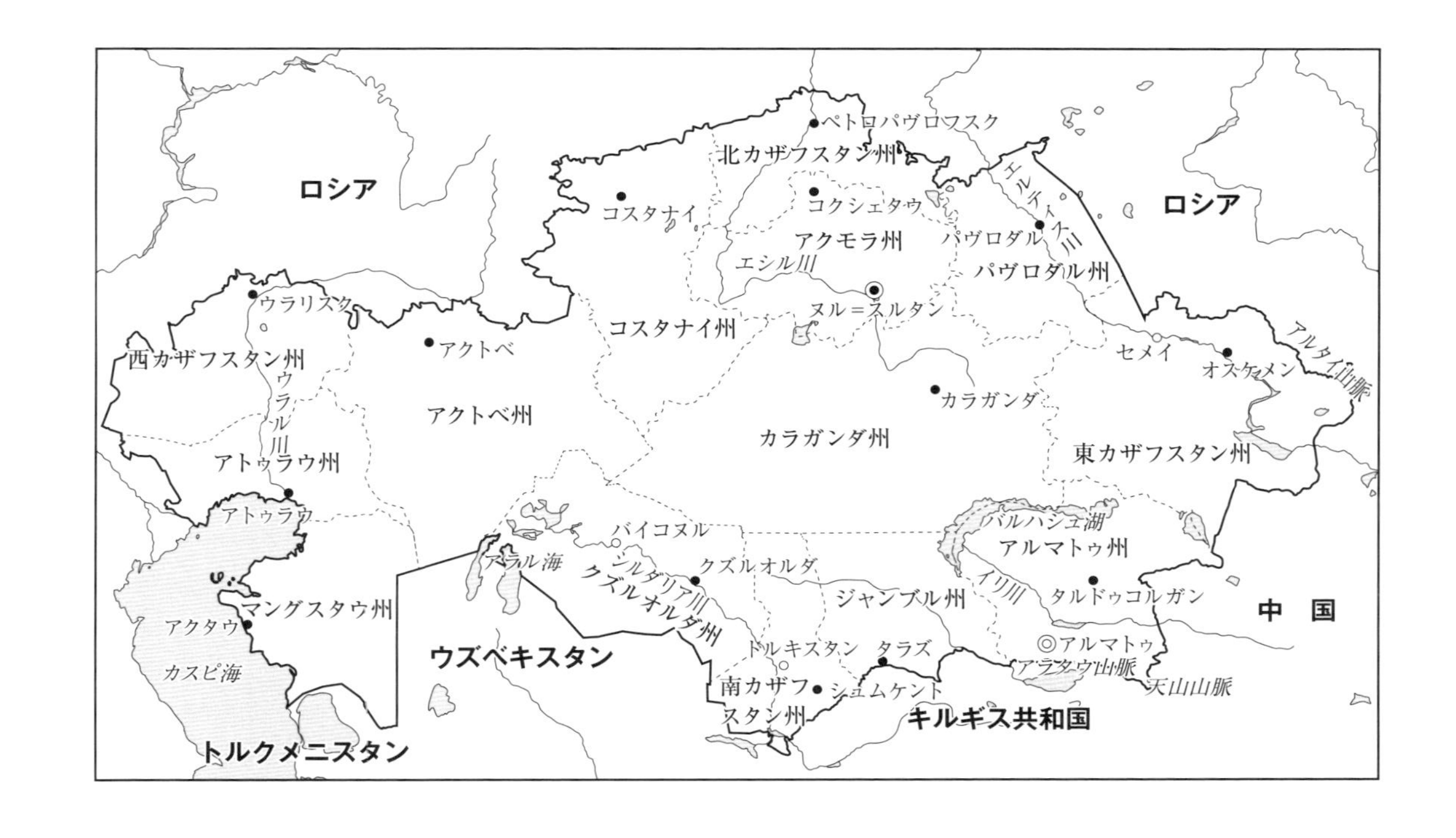
ロシア
ロシア
ペトロパヴロフスク
北カザフスタン州
コスタナイ
コクシェタウ
アクモラ州
パヴロダル
エルティス川
パヴロダル州
エシル川
ヌル＝スルタン
ウラリスク
アクトベ
コスタナイ州
セメイ
オスケメン
アルタイ山脈
西カザフスタン州
ウラル川
アクトベ州
カラガンダ
カラガンダ州
東カザフスタン州
アトゥラウ州
アトゥラウ
バイコヌル
バルハシュ湖
アルマトゥ州
アラル海
シルダリア川
クズルオルダ
クズルオルダ州
イリ川
ジャンブル州
タルドゥコルガン
中国
マングスタウ州
アクタウ
ウズベキスタン
トルキスタン
タラズ
アルマトゥ
アラタウ山脈
天山山脈
カスピ海
南カザフスタン州
シュムケント
キルギス共和国
トルクメニスタン

り、たとえそれが公式なルールを逸脱していても、必ずしも否定的にはみられていなかった。しかし市場経済化の進展とともにカネへの需要が高まり、こうした「助け合い」にはしばしば金銭が介在するようになった。

役人に頼みごとをするにも、いまや知人や友人の口利きだけでは不十分で、「謝礼」が必要だ。この変化を指して、社会全体が拝金主義的になったとか、人づき合いのやり方が変わってしまった、と嘆く声は多い。非公式な問題解決そのものではなく、カネを払わなければ人が動かない、そのことに憤慨しているのである。

ただし、必ずしも贈収賄がすべて否定されているわけではない。公式なルールやプロセスを無視し、カネですばやく目的を達成できるのは、そのコストを負担できる人にとっては好都合でもある。また、すぐに「謝礼」さえ支払っておけば、助けてもらったという借りは残らず、将来、逆に頼みごとをされるわずらわしさもない。そのため、カネでビジネスライクに物事を処理するほうがいい、と主張する人も少なくない。

賄賂とは

日本語の「賄賂（わいろ）」（まいない、袖の下ともいう）という言葉から、どのようなケースが連想できるだろうか。役所への口利きのお礼として、民間企業から贅沢な接待を受けたり、金品を受け取ったりする政治家や政府高官。出来の悪い子どもを医学部に不正入学させるために、大学の理事長や学長に

「寄付」と称して大金を包む親。たとえ明るみに出たとしても、こうした行為のすべてが刑法上の賄賂罪や、あっせん利得処罰法違反に問われるわけではない。しかし第三者の目からみれば、金品等を渡した側は見返りを期待しており、相手もそれを承知していた、と考えるのがふつうだろう。

賄賂とは、受け取る側の職務行為に関して授受される不正な利益を指す。事典の項目にある解説ではしばしば、社交儀礼の範囲内での贈り物は賄賂とはみなされない、と書かれているが、実際には両者の違いは必ずしも明確ではない。

たとえば、何らかの職務行為がおこなわれる前にやりとりされれば賄賂だが、事後であれば贈り物だ、という見方がある。後者の場合、渡した金品は仕事の質や内容に影響を与えないはずだからだ。では病院を受診し、治療が終わってから医師に心付けを渡した場合、そこに込められているのは感謝の気持ちだけだろうか。かかりつけ医であれば、近い将来、ふたたび世話になる可能性が高く、その際には配慮してほしいという期待もあろう。このケースでは、「事前」と「事後」の区別はあいまいである。

自発的か強制かが判断基準になる、という考え方もある。誰にも頼まれていないのに自分から渡したのであれば贈り物であり、相手から要求されたのなら賄賂だ、というわけだ。しかし、この分け方も必ずしも有効ではない。カザフスタンでは「教師の日」（一〇月の第一日曜日。教育者に謝意を示す日とされる）や自分の誕生日などにわざわざ言及して暗に「お祝い」を求めたり、「もうすぐ奨学金の支給日だね」と言っては、カネを渡すようほのめかす教師がいると聞く。こうした発言を無視する学生もいれば、応じなければ成績を下げられるのではないかと不安を覚える学生もいるだろう。また、教師が採点の際、日ごろから付け届けをする保護者の子どもには、つい甘くなってしまわないとも限らない。

授受される金品の金額の多寡や、モノか現金かの違いによって、賄賂と贈り物の境界線を引くことも不可能だ。どの程度のプレゼントが適切なのかは、理由（たとえば、誕生日なのか結婚式なのか）、送り主や受け取る側の社会的地位や収入、相互の関係などによって異なるように、賄賂も状況しだいで「価格」が変わる。不正な便宜供与を目的とした金銭のやりとりが祝儀というかたちでおこなわれる場合もあるし、逆に、携帯電話のプリペイドカードやスーパーの食料品など、およそ贈り物らしからぬものをあえて要求する役人や警官もいる。

社会学や人類学を中心とする欧米の研究では、賄賂（bribe）の定義に関する豊富な蓄積がある[2]。それらが示しているのは、賄賂と贈り物のあいだの境界線はあいまいであり、両者をはっきりと区別するのは困難だということだ。第三者からみれば贈収賄ととれる行為であっても、当事者同士は「贈り物」だと認識している可能性もある。渡す側に何らかの思惑があったとしても、受け取る側は単なるプレゼントだとみなすこともあるだろう。また同じような金品の受け渡しであっても、行為者の言動しだいでその意味づけも変わりうる。

さらには、合法性を基準にすることも難しい。いかなる金品やサービスの授受が違法とされるかは国ごとに異なり、一国においても時代によって変わりうるからだ。たとえば、日本の場合をみてみよう。明治時代に制定された収賄罪では、公務員が別の公務員に職務上の行為をさせる（あるいはさせない）あっせんは、罪に問うことはできなかった。こうした口利きが違法となったのは、刑法にあっせん収賄罪が新設された一九五八年のことである。ちなみに、二〇〇〇年にはあっせん利得処罰法が制定され、公務員だけでなく国会議員、地方公共団体の議会の議員や長、公設秘書によるあっせんも処罰対象となった。

こうした定義の難しさから、英語の学術論文では賄賂と贈り物、両者を包摂する用語として「非公式な支払い」（informal payments）がしばしば使われる。しかし、この用語は日本語ではなじみが薄い。そこで本書では、賄賂と贈り物を明確に分けることの困難さを念頭に置きつつ、非公式な便宜供与への対価として渡される金品や接待を指して「賄賂」を用いる。ただ、ここでいう「賄賂」がすべて違法行為、あるいは倫理的に問題がある行為とみなされているわけではないことは、あらためて確認しておきたい。

本書の構成

本書は、カザフスタン社会に広くみられる「非公式な問題解決」の方法に着目し、それを単に贈収賄や身内びいきの蔓延という問題としてとらえるのではなく、より広い観点から考察する。いいかえれば、人びとのライフスタイルや価値観、さらには人間関係のあり方が市場経済化前後でどのように変わったのかを、コネとカネの使い方から検討することが、ここでの目的である。

まず、第1章は、日本ではあまりなじみのない国であるカザフスタンについて、その独立国家としての歩みと多民族からなる住民を、日本との関わりや最近の政治情勢にも触れながら紹介する。つぎに、一般市民の生活水準と、日常生活のどのような場面で賄賂が払われているのか、その概要をみていく。

第2章では、市場経済化後に非公式な慣行がどのように変化したのか、その全体像をあきらかにする。ソ連時代には互酬的関係にもとづく便宜の交換が中心だったのに対し、一九九〇年代以降、カネと引き換えに便宜を与える、あるいは受けた便宜を金銭で精算するというやり方が増えている。とはいっても、コネが完全にカネに置き換えられたわけではなく、取り引きを確実にしたり、必要なコストを下げたりするなど、非公式なカネのやりとりにおいてコネは重要な役割を果たしている。

続く第3～6章は、具体的な分野を個別にみていく。第3章は、警察、検察、裁判所などの法執行機関における腐敗と、徴兵にまつわる贈収賄に注目する。これらの国家機関でとくに問題となっているのは公職売買である。また、第4章は、貿易業や小売業、飲食業などに携わる個人や中小企業が、税務職員や警察、役人からハラスメントを受けながらも、彼らと渡り合っているさまを描く。さらに、公的住宅の供給と不動産関連の手続きをめぐる贈収賄にも言及する。

そして、第5章の対象は教育分野だ。カザフスタンの学校や大学では、成績や試験の点数、入学の権利、学位論文などが、あたかも商品のようにカネで取り引きされている。だが、このことは単なる不正ではなく、教育行政を含む構造的問題として理解する必要がある。続いて、医療分野を扱う第6

章では、患者および家族と医療者とのあいだの非公式なやりとりが、露骨な金銭の要求、命の恩人に対する謝意、そしてビジネスライクな「治療代」の支払いまで、さまざまな性格を持っていることをあきらかにする。

エピローグでは少し視点を変え、格差と貧困、社会的公正という観点から、カザフスタンの一般市民にとって腐敗とは何なのかを考えてみたい。

第1章　中央アジアの新興国カザフスタン

一　国土と住民

日本とのかかわり

カザフスタンはアジアとヨーロッパにまたがるユーラシア国家で、国土は乾燥した草原と砂漠、そして山脈からなる。その国土面積は世界第九位で、日本の七倍以上にのぼる。北はロシアのシベリア、東は中国の新疆ウイグル自治区、南はキルギス共和国[1]、ウズベキスタン、トルクメニスタンに囲まれた内陸国である。モンゴルとは国境を接していないものの、その西端まではわずかな距離だ。カスピ海に面した西部地域は、世界有数の埋蔵量を誇る油田地帯として知られている。

首都ヌル＝スルタンは、国土の中央からやや北に位置する一〇〇万都市である。二〇一九年三月、突如辞任を表明した初代大統領ヌルスルタン・ナザルバエフを称揚するため、アスタナから改称された。一九九七年にアルマトゥから首都が移転される以前は、人口三〇万に満たない地方都市だった。しかし遷都後、ここに政治行政機能が移されると、官公庁や公共施設、住宅などの建設ラッシュが起き、人口も急速に増加した。新たに開発された新市街には斬新で風変わりなデザインの建物も多く、その景観は未来都市の風貌を呈している。このヌル＝スルタンの都市整備には、建築家の黒川紀章のプランが採用されている。

日本人宇宙飛行士に関する報道で、バイコヌルという地名を聞いたことがある人は少なくないだろう。バイコヌルはカザフスタン南部にある宇宙基地で、ソ連時代の一九六一年には、人類初の有人飛行を達成したユーリー・ガガーリンがここから宇宙に旅立っている。ちなみに、バイコヌル宇宙基地および行政区域としてのバイコヌル市は、ロシアとの賃貸協定にもとづき、ロシア政府の管理下に置かれている。

日本ととりわけかかわりの深い都市としては、カザフスタン北東部の町、セメイがある。かつてセミパラチンスクと呼ばれたこの町からわずか六〇キロほどのところにある核実験場で、一九四九年から四〇年間にわたり、地下・地上合わせて四五〇回を超える核実験がおこなわれた。セミパラチンスク核実験場はソ連末期に閉鎖されたものの、いまなお数十万人にのぼる人びとが汚染による被害に苦しんでいる。日本はこうした「ヒバクシャ」への医療支援をおこなっており、なかでも被爆経験を共有する広島市、長崎市とセメイ市とのあいだの交流が盛んだ。

人口一八〇〇万超のカザフスタンは、多様な民族的・言語的・宗教的バックグラウンドを持つ人びとから構成される多民族国家である。主要民族であるカザフ人は日本人とよく似た風貌の人が多く、筆者も現地でしばしばカザフ人と間違われる。だが、もともと遊牧民であったカザフ人の開放的で大らかな民族性は、日本人とはだいぶ異なる。

国民の過半数は一九九一年の独立後に誕生した世代に属するが、近年、グローバルな活躍で注目を集めているのも、こうした新しい世代の若者たちだ。たとえば、ソチオリンピック男子フィギュアスケートの銅メダリストである故デニス・テン選手は、その代表例といえよう（彼の死とその波紋については第3章で触れる）。また、二〇一九年三月、さいたまスーパーアリーナで開催された世界フィギュアスケート選手権では、エリザベト・トゥルスンバエヴァ選手がシニア女子史上初の四回転ジャンプ（サルコー）を決め、銀メダルを獲得した。

格闘技ファンなら、元世界ミドル級スーパー王者ゲンナジー・ゴロフキン（通称「GGG」）を知っているだろう。さらに、若い世代の活躍はスポーツの世界にとどまらない。二〇一七年に中国で大ブレイクした歌手ディマシュ・クダイベルゲンは、その驚異的な音域と甘いマスクで世界各国のファンを魅了している。日本ではまだそれほど知名度が高くないものの、国内ですでにファンクラブが結成されている。

南の首都アルマトゥ

カザフスタンの行政区域は、首都ヌル＝スルタン、アルマトゥ、南部の中心都市シュムケント(2)およ

び一四州からなる。アルマトゥとシュムケントは、州と同格の特別市である。本書で紹介するさまざまな事例は現地でのインタビューをもとにしているが、その多くがカザフスタン最大の都市、アルマトゥで実施したものだ[3]。本書の主な舞台となるこの町について、ここでやや詳しく紹介しておくことにしよう。

アルマトゥはカザフスタン東南部に位置し、人口一八〇万を擁する。民族構成はカザフ人が全体の六割、ロシア人が四分の一程度を占め、そのほかはウイグル人、朝鮮人、タタール人などからなる。ソ連時代からカザフ共和国の首都として知られ、独立後も一九九七年まで首都が置かれていたことから「南の首都」とも呼ばれている。夏は三〇度を超えることも珍しくなく、冬はマイナス二〇度以下まで冷え込むこともあるが、寒暖差が激しいカザフスタンにおいては比較的過ごしやすい都市のひとつである。

都市としてのアルマトゥの歴史は、ロシア帝国

アルマトゥ市風景［出所：Wikimedia Commons］

が統治の拠点として築いたヴェルノエ要塞（のちのヴェルヌィ市）にさかのぼる。この土地は、カザフ語ではもともとアルマトゥと呼ばれていたが、一九二一年にロシア語の名称もそれに近いアルマ・アタとされた。独立後の一九九三年にロシア語表記もアルマトゥに統一されたが、ロシア語話者には発音しにくいことや以前の名称への愛着もあり、ロシア語の会話ではいまだにアルマ・アタも使われている。カタカナ表記としては「アルマティ」「アルマトイ」「アルマトゥイ」などが混在しているが、本書ではカザフ語の発音により近い「アルマトゥ」を用いることにしたい。

アルマトゥはアラタウ山脈の北麓にあり、全体が南北に傾斜している。中心部は道路が碁盤状になっていて、初めて訪れた人でも方角をつかみやすく、そこかしこに植えられた街路樹といくつもの公園が緑豊かな街をつくりだしている。政治機能の中枢は新首都ヌル＝スルタンに移ったものの、いまなお経済・文化の中心地として発展するアルマトゥには、オフィスビル、ショッピングモール、劇場、映画館、おしゃれなレストランやカフェが立ち並ぶ。近年は大気汚染が深刻化しているが、比較的汚染が少ないとされる南側に、ガードマン付きの高層マンションや高い外壁に守られた豪華な一戸建てが集中している。

市内を走る車の数は増加の一途をたどっており、朝晩の通勤時間帯には渋滞があたりまえになった。一九九〇年代にはフロントガラスが割れたままの年代物の車もよく見かけたが、いまではランドクルーザーなどＳＵＶ（スポーツ用多目的車）が目につく。日本車の人気は根強く、日本人だとわかると、「日本で車を買ったらいくらするか」と聞かれることもしばしばだ。

公共交通手段としては、一九八〇年代に着工されたものの、資金難などを理由に長らく中断していた待望の地下鉄が、二〇一一年一二月に開通した。しかし路線が短く、渋滞解消にはあまり効果を発揮していない。自家用車を持たない庶民の移動手段は、路線バス、トロリーバスと白タクだ。

ちなみにアルマトゥには、意外なところに日本人が残した足跡がある。第二次世界大戦後、六〇万人を超える日本人がソ連で強制労働に従事させられた「シベリア抑留」は、ご存じの読者も多いと思う。だが、実際の抑留先に中央アジアも含まれていたことは、あまり知られていないのではないだろうか。カザフスタンには六万人近くが連行され、その半数以上が中部のカラガンダ州で炭鉱労働などに携わった。

日本人抑留者がアルマトゥで手がけた建造物としては、科学アカデミーと、ソ連時代に議会、政府、共産党中央委員会が置かれていたカザフ英国工科大学が代表的なものだ。しかし、これらの重厚な建物以外にも、現地の人がごくふつうの住宅を指して「これも日本人が建てたんだよ」と教えてくれたこともある。アルマトゥ市内には抑留者が眠る墓地があり、在留邦人による墓参が続けられている。

二　ナザルバエフ政権の功罪

突然の辞任

二〇一九年三月一九日、現地時間一九時[4]。ナザルバエフ大統領がおこなったテレビ演説は、カザフスタン国民を驚愕させた。青天の霹靂、震天動地と言ってもいいかもしれない。ソ連末期から共和国トップの地位にあり続け、三〇年の長きにわたって唯一無二の指導者として君臨してきたナザルバエフが、突然、みずから大統領の座を退くことを表明したからである。ナザルバエフは演説のなかで、ソ連崩壊後の苦難の時代を乗り越え、目覚ましい経済発展と国民生活の向上を成し遂げたみずからの功績を強調し、国際社会でカザフスタンが確固たる地位を占めたことにも誇らしく言及した。そして、新しい世代の指導者たちに現行の改革を引き継がせることこそが自分の課題であると述べ、一五分強の演説を締めくくった。

翌三月二〇日、憲法の規定に従い、カスムジョマルト・トカエフ上院議長が新大統領に就任した。

その彼が真っ先に着手したのが、初代大統領を永遠に讃えるためのさまざまな措置である。国会で新大統領がおこなった就任スピーチのほとんどは前任者への賛辞で埋め尽くされていたが、トカエフはさらに、首都アスタナをヌル＝スルタンに改称し、首都に初代大統領の記念碑を建立すること、すべての州都のメインストリートにナザルバエフの名を冠することを提案した。また、ナザルバエフを名誉上院議員に任命するとともに、公共施設、公務員の執務室、教育機関に掲げられている初代大統領の肖像や写真はそのまま残すよう求めた。議員たちはこれらひとつひとつに、満場総立ちと盛大な拍手で応じた。この後、トカエフの提案が全会一致で採択されたのは言うまでもない。

ナザルバエフ自身はその一部始終を、議場正面の最高位に設けられた椅子から見下ろしていた。信頼できる人物に無事バトンを渡し、建国の父としてこれだけの称賛を浴びているのだから、満足そうな面持ちを見せてもよさそうなものだが、その表情にはどことなく力がない。七八歳という年齢を考慮すれば当然かもしれないが、議場に入場した際の足取りも六五歳のトカエフに比べると、ややおぼつかなかった。

しかし、ナザルバエフは政界引退を決意したわけではない。退任表明演説でもみずから強調していたが、「初代大統領＝エルバス（国民の指導者）」は憲法で規定された、ナザルバエフのみに与えられたステイタスである。また、彼は広範な権限を有する安全保障会議の終身議長であり、国会の第一党であるヌル・オタン党の党首、カザフスタン民族会議終身議長、さらに憲法評議会のメンバーでもある。四月初めには、初代大統領官房が正式に業務を開始し、ナザルバエフが「初代大統領の職務」に着手したと報じられた。

ナザルバエフによる「院政」計画の証左はほかにもある。新大統領の就任式がおこなわれた三月二〇日、長女であるダリガ・ナザルバエヴァ上院議員が、トカエフの後任として上院議長に全会一致で選出されたのである。もしもトカエフが大統領職を解かれるようなことがあれば、その後には娘が控えているというわけだ。

一連の辞任劇はカザフスタン内外の人びとを大いに驚かせたが、実は、以前からその予兆はあった。もっとも早いものは二〇〇〇年に採択された初代大統領法である。この法律は、ナザルバエフが重要な国家的課題についておこなう提案は国家機関・公職者が必ず審議するなど、彼に終身にわたって付与される諸権利、および不可侵権などを定めたもので、二〇一〇年にはその特権が拡大された。二〇一八年五月には、安全保障会議の法的地位、権限および機能が強化され、初代大統領がその終身議長となった。それまで議長は現職大統領とされていたから、法改正により、安保会議はナザルバエフ個人に従属する強力な機関になったのである。

ヌルスルタン・ナザルバエフ初代大統領
［出所：http://www.akorda.kz/ より］

さらに、二〇一九年二月にはナザルバエフ自身が、大統領権限の停止について定めた憲法第四二条三項の解釈について憲法評議会に照会した。この条項は、新大統領の選出、免職、もしくは死亡にしか言及していなかったため、みずからの意志による辞任が可能かを確認したのである。憲法評議会の判断は「可能」であった。こうした「地ならし」は、しばしばうわさされる健康問題とともに、近い将来、カザフスタンがポスト・ナザルバエフ期を迎えることを示唆していた。

二〇一九年六月九日、憲法規定上の任期は二〇二〇年四月までであったにもかかわらず、繰り上げ大統領選挙が実施された。ヌル・オタン党の推薦を受けたトカエフの当選は完全に想定内で、得票率七一・〇パーセント（投票率七七・五パーセント）という数字も実に「妥当」なものであった。初代大統領に対するような圧倒的な支持ではないが、有権者の信認を得たと主張するには十分だからだ。

とはいえ、この大統領選挙を機に発生した抗議行動は、カザフスタン国内でくすぶる不満の深刻さを強く印象づけるものとなった。選挙日程が発表された四月九日以降、あきらかな「出来レース」への反発を表明するさまざまなパフォーマンスが展開され、五月一日のメーデー、選挙当日とその後の数日間には、大都市を中心に多数の市民が街頭に繰り出した。彼らの主張や要求は、選挙そのもののボイコットや不正選挙の糾弾などさまざまであったが、その規模はカザフスタンでは前例のないものだった。内務省は拘束者の数を約四〇〇〇人と発表したが、実際の人数はこれよりも多いとの見方もある。(5)

独立と建国

ヌルスルタン・ナザルバエフは、ソ連末期にカザフスタン共産党のトップとなり、独立後は建国の父としてふるまってきた。国民の半数以上が、大統領といえば彼しか知らない世代に属する。ナザルバエフが辞任するまで、カザフスタンは旧ソ連諸国のなかで唯一、独立後に指導者の交代を経験していない国になっていた。

一九四〇年生まれのナザルバエフは、四十代半ばの若さでカザフ共和国閣僚会議議長（首相）に抜擢され、一九八九年六月にはカザフスタン共産党中央委員会第一書記に就任した。時代はソ連共産党書記長のミハイル・ゴルバチョフが開始した大改革、「ペレストロイカ（建て直し）」の真っただ中である。

ペレストロイカといえば自由化や民主化というイメージが強いものの、その初期にはむしろ中央による連邦構成共和国への統制が強化された。なかでもカザフスタンでは、一九八六年一二月、カザフ人の第一書記が解任され、現地勤務経験のないロシア人が新たに任命された。民族感情への配慮を欠いた人事に反発した若者は抗議デモを組織したが、当局はそれを治安部隊によって暴力的に鎮圧し、流血の惨事を招いた。この「一二月事件」（アルマトゥ事件ともいう）を経て、ロシア人第一書記の後任となったのがナザルバエフである。

ナザルバエフを中心とするカザフスタン指導部は、バルト諸国のように独立を要求するのではなく、あくまでソ連の枠組みのなかでの共和国の政治的・経済的主権獲得と権限拡大を目指していた。連邦維持の賛否を問う国民投票（一九九一年三月）の結果にもみられるように、住民のあいだでも独立を求める声は少数派だった。このころ、主権国家連合としてのソ連の再編を目指し、新連邦条約締結をめぐる協議がおこなわれたが、ナザルバエフはその過程で重要な役割を担い、将来の国家連合のリーダーのひとりと目されていた。

しかし、こうした連邦刷新の試みも、一九九一年八月の保守派クーデタの失敗により頓挫する。これ以降、各共和国による独立宣言が相次ぎ、連邦崩壊は不可避となった。[6]一二月八日には、ロシア、ウクライナおよびベラルーシがソ連解体と独立国家共同体（ＣＩＳ）結成を宣言、カザフスタンはこの三か国および他の中央アジア・コーカサス諸国とともに一二月二一日、アルマトゥで開催された首脳会議でＣＩＳに加盟した。カザフスタンが独立を宣言したのは、そのわずか数日前、一二月一六日のことである。

ナザルバエフはソ連末期にカザフスタン大統領に初めて選出されているが、彼は独立後、計四回実施された大統領直接選挙に出馬し、ほぼ毎回九〇パーセント台の得票率で圧勝している。[7]以下で述べるように、こうした長期政権を可能にした大きな要因が、その権威主義的な政治体制にあることは間違いない。とはいえ、ナザルバエフの政策や手腕が一定の支持と評価を得てきたことも事実である。

連邦崩壊により危機に瀕した経済、カザフ人とロシア人が拮抗する民族構成、そして複雑な国際環境。難しい舵取りを迫られる状況下で、ナザルバエフ政権はおおむね安定した国家運営をおこなってきた。国内では、カザフ民族中心の国家建設を推進しながらも、非カザフ人の利益も考慮しつつ、深刻な紛争を回避することに成功している。対外的には全方位外交により、ロシアをはじめとする諸外国と総じて良好な関係を維持しながら独立を守ってきた。

市場経済への移行にともなう混乱もあって一九九〇年代に低迷した経済は、二〇〇〇年代以降、高成長に転じた。飛躍的な経済成長は全体として国民生活に豊かさをもたらし、結果的に政権への支持につながったが、それを可能にしたのは天然資源である。ただし近年では、物価高や不十分な社会保障、経済格差の拡大などに対する不満が高まりつつあり、潜在的な不安定要因となっている。

強まる権威主義化

ナザルバエフは選挙のたびに、政治的安定と経済的繁栄、民族間の和合を掲げ、幅広い層の国民にアピールしてきた。しかし、三〇年近くにわたる長期政権を可能にしたのは国民の自発的な支持だけではない。カザフスタンでは一九九〇年代半ばから、大統領への権力集中と政治体制の権威主義化が進行し、二〇〇〇年代後半以降、反対派は政治過程から事実上排除されている(8)。

カザフスタン独立後の数年間は、最高会議（国会）やメディアでの言論、選挙の競争性、自律的な民族運動などの点で、民主化がもっとも進展した時期だった。しかし一九九五年三月、憲法裁判所の決定により最高会議が非合法化されると、国会不在のまま、同年八月の国民投票により大統領権限を大幅に強化する新憲法が採択された。

ナザルバエフが大統領辞任後も党首を務めるヌル・オタン党は、国会の議席をほぼ独占する支配政党である。一九九九年に設立されたオタン党に、二〇〇六年、他の体制派政党が合流し、現在の名称となった。大統領に従属する政党が巨大化する一方で、政権による弾圧と巧みな懐柔により、反対派は分断され弱体化した。国会ではヌル・オタン党以外にも複数の政党が若干の議席を有しているが、これらは実質的にみな体制派であり、もっぱら複数政党制を演出するための存在といえよう。

カザフスタンの大統領選挙や議会選挙は、現職や体制派政党に有利な条件のもとで、反対派を実質的に排除するかたちでおこなわれてきた。メディア統制による情報操作、有力政治家の候補者登録の却下・抹消、政党登録の拒否、選挙運動への脅迫・妨害に加え、選挙日程がしばしば繰り上げられるため、反対派は十分な準備期間を確保することができないことが多い。二〇一九年の大統領選挙は、その顕著な例である。さらに、ナザルバエフ個人の在任期間を長期化するため、国民投票による任期延長（一九九五年）、大統領職の年齢制限上限撤廃（一九九八年）、初代大統領に対する連続三選禁止条項の不適用（二〇〇七年）など、さまざまな手段がとられてきた。

カザフスタンの権威主義体制を強化させた要因としては、公式な政治制度に加え、非公式ネットワークの存在がある。中央アジア諸国の権威主義化に早くから注目していた宇山智彦は、これらの国々で大統領への権力集中が進んだ主な要因は、ソ連時代に共産党が担った個別利益の公式・非公式な調整機能が、国会ではなく大統領に引き継がれたことにある、と指摘する[9]。

ソ連時代にも、庇護と忠誠の交換にもとづくパトロン・クライアント関係が人事に影響を及ぼしていたのはたしかだが、共産党の組織原則である集団指導体制が一定の抑制装置として働いていた。しかし独立後はこうした歯止めが存在せず、強大な人事権を握る大統領がみずからに忠実な人物でエリート層を固め、圧倒的な力を持つことになった。カザフスタンでは、個人的な人脈を使って公的機関に強い影響力を行使し、自分の身内や子分に便宜を図ることのできる人物が「アガシュカ」と呼ばれるが（第4章四節を参照）、そのネットワークの頂点にいるのがナザルバエフだといえるだろう。

ナザルバエフ政権下のネポティズムも顕著である。そもそも地縁・血縁のつき合いが重視される中央アジアでは、地域や氏族にもとづくネットワークの政治的重要性が強調されがちだが、最近の研究ではそうした説明の限界が指摘されるようになった[10]。ただし、大統領の血族・姻族が政治や経済の重要ポストを握り、権勢をふるうケースが目立つのはたしかであり、カザフスタンも例外ではない。若くして要職に抜擢されることが多いのも、親族がらみの人事の特徴のひとつである。この点について、もう少し詳しくみてみよう。

ナザルバエフは妻サラとのあいだに娘が三人いるが、もっとも華やかなキャリアを築いたのが長女のダリガ・ナザルバエヴァである。彼女が父の辞任後、上院議長に選出されたことはすでに述べたとおりだ。ダリガは元国営放送会社ハバルの社長などを経て、二〇〇三年に自身の政党（のちに大統領与党に合流）を立ち上げて国会議員となり、下院副議長、副首相などを務めた。ダリガの元夫ラハト・アリエフも税務警察、国家保安委員会および外務省の幹部職に就いた経歴を持つ[11]。次女ディナーラ・クリバエヴァの夫ティムール・クリバエフは、カザフスタンの主要産業である資源・エネルギー分野で影響力を行使し、カザフオイル、カズトランスオイル、カズムナイガスなどの国営企業、および国立福祉基金サムルク＝カズナで、そのトップもしくはそれに次ぐポストを歴任してきた。このほか、ナザルバエフの甥や孫たちも、治安機関、地方行政府、ヌル・オタン党などの要職を任されている。

親族は公職に就くだけでなく、銀行をはじめとする大企業の株を保有するなどして富を築いており、ときおり、彼らの派手なライフスタイルが話題になることもある。なかでもクリバエフ夫妻は『フォーブス』誌が発表する長座番付の常連だ。

では、ナザルバエフ自身についてはどうか。彼の資産に関する話題は事実上タブーだが、一九九〇年代に大統領が関与したとされる汚職スキャンダルがある。いわゆる「カザフゲイト」である。二〇〇三年、ナザルバエフの顧問だった米国人ジェームス・ギッフェンが、米国の石油会社が得た油田開発権益に対する見返りとして政府高官に巨額の賄賂を渡したとして、海外腐敗行為防止法違反および資金洗浄の疑いで逮捕された。米検察は、スイスの銀行口座を通じて数億ドルがナザルバエフ大統領とヌルラン・バルギンバエフ元首相に渡ったとしている。カザフスタン側はこれを否定したが、カザフゲイト関連の報道に政府がいかに神経をとがらせていたかは、そのメディア統制の強さに表われている。[12]

ナザルバエフ政権最後の一〇年間には、大統領への個人崇拝が目立つようになった。その最たる例が首都改称だが、「建国の父」をあがめる傾向はそれ以前から随所でみられた。二〇一一年には祝日法が改正され、一二月一日が「初代大統領の日」になった。アルマトゥでは二〇一〇年に初代大統領公園が開園し、二〇一七年にはメインストリートのひとつであるフルマノフ通りがナザルバエフ通りに改められた。首都にはナザルバエフ大学、文化施設であるナザルバエフ・センター、初代大統領図書館、ヌルスルタン・ナザルバエフ国際空港（「アスタナ国際空港」から二〇一七年に改称）がある。首都改称の際にはヌル＝スルタンなどで小規模な抗議デモが起き、ソーシャル・ネットワーキング・サービス（SNS）上でも反対キャンペーンが展開されたが、公に異議を唱える人は全体からみれば少数派だ。とはいえ、こうした過剰ともいえる称揚が国民の積極的支持を得ているわけではなく、冷ややかな目で眺めている人も多い。

初代大統領が保持するステイタスのひとつに、カザフスタン民族会議終身議長がある。この民族会議は公認民族団体の代表などから構成される大統領諮問機関だが、実際には傘下の団体の監視と指導者の取り込みを通じて、民族運動の翼賛化に寄与している[13]。また、民族会議はナザルバエフを安定した民族間関係の保証人、あらゆる民族から支持されるリーダーとして褒め称える役目も果たしている。ただ、こうした宣伝はまったく実態をともなっていないわけではない。カザフ人以外の人びとは、過激な民族主義を掲げる指導者が現われることを恐れており、多民族性を強調する現政権の姿勢は彼らに一定の安心感を与えるものであったからだ。

三　民族と言語

民族構成と歴史的背景

カザフスタンは、その国名が示すとおりカザフ人を中心とする国だが、異なる言語、文化、宗教を持つさまざまな人びとが暮らす多民族国家でもある。たとえば、冒頭で紹介したデニス・テンは朝鮮系、ゲンナジー・ゴロフキンはロシア系、エリザベト・トゥルスンバエヴァの母親はキルギス共和国出身だ。公的な言説では、一二〇を超える民族出身の人びとが共存しているとして、その数の多さが強調されるが、実際には非カザフ人のうち、そのほとんどがロシア人やウクライナ人などのスラヴ系住民と[14]、カザフ人と同じテュルク系の言語を話すウズベク人やウイグル人によって占められている（表1-1）。

二〇一九年現在、カザフ人の割合は全人口の七割程度だが、ロシア人などに比べて年齢構成が若く、相対的な出生率が高いこともあり、そのシェアは今後も増大することが見込まれる。ただし、ソ連崩壊時の民族構成はこれとは大きく異なっていた。カザフ人はみずからの名を冠する共和国で少数派に転落し、全体の四割を占めるにすぎなかった。そのため非カザフ人、なかでもカザフ人と人口的に拮抗するロシア人の国民統合の成否が、新独立国家の安定を左右する重要課題とみなされていたのである。

カザフスタンの民族的多様性は、いかなる歴史的背景のもとに生まれたのか。カザフ人がソ連時代にマイノリティとなりつつも、独立後に多数派の地位を再獲得したのは、どのような経緯によるものなのだろうか。

現在のカザフスタンの領域では、古来、さまざまな遊牧国家が興亡を繰り返した。カザフの王族が興したカザフ・ハン国が草原の覇権を握ったのは、一五世紀後半のことである。一八世紀前半にカザフ・ハン国がしだいに分裂すると、大ジュズ（カザフスタン東南部・南部）、中ジュズ（東部、中部、北部）、小ジュズ（西部）と呼ばれる三つの部族連合体がそれぞれの地域で自立性を高めた。一七世紀から一八世紀にかけて続いたモンゴル系集団の来襲は、カザフ支配者層の一部がロシアに庇護を求める契機となる。

ロシアによるカザフスタン支配は住民のあいだでたび重なる蜂起を引き起こしたが、ロシアはそれらを鎮圧し、一九世紀半ばまでに全土を征服した。帝政下のカザフスタンは、原料供給地および植民地市場としてロシア経済に組み込まれた。それにともなってスラヴ系民族の農業移民が増大し、土地を奪われた遊牧民のあいだでは不満が高まった。帝政ロシア政府による第一次世界大戦への徴用令をきっかけとする一九一六年反乱の際には、カザフ人もほかの中央アジア諸民族とともに抵抗した。

一九一七年のロシア革命勃発後、カザフ知識人らは自治政府アラシュ・オルダを設立したが、内戦の混乱のなかで十分に機能しなかった。近代国家としてのカザフスタンの原型は、ソヴィエト連邦を構成したカザフ・ソヴィエト社会主義共和国である。ソヴィエト政権の樹立後、当初はロシア共和国の領域に含まれる自治共和国として発足し、一九三六年に連邦構成共和国に格上げされた。

ソ連の一部となったカザフスタンでは、さらに顕著な住民構成の変化が起こった。スターリン時代の一九三〇～四〇年代には、遊牧民の強制的定住化・集団化と、それがもたらした大飢饉によって、カザフ人は人口のおよそ四割を失った。またこのとき、中国やモンゴルなどの周辺諸国に逃れた人も少なくない。こうした移動は、一九一六年反乱やロシア革命後にもみられた。他方で、第二次世界大戦前夜から戦中にかけて、ドイツ人、朝鮮人、クリミア・タタール人、チェチェン人など、対日・対独協力の汚名を着せられたさまざまな少数民族の人びとがカザフスタンに強制移住させられた。

第二次世界大戦中のソ連ヨーロッパ部からの企業疎開と、戦後の鉱工業および農業の開発もまた、外からの労働力の流入をもたらした。なかでもカザフスタン北部を穀物の一大生産地と変えた「処女地開拓」には、共和国だけでなくソ連各地からも若者が動員された。ちなみに、ヌル＝スルタンはこの開発事業の拠点となったことから、一九六一年、ロシア語で「処女地の町」を意味するツェリノグラードと名づけられている（そ

（単位：%）

1999	2009	2019
53.5	63.1	68.0
29.9	23.7	19.3
3.7	2.1	1.5
2.4	1.1	1.0
1.7	1.3	1.1
2.5	2.9	3.2
0.7	0.4	0.3
1.4	1.4	1.5
0.7	0.6	0.6
3.5	3.4	3.5
100.0	100.0	100.0
14,981,281	16,009,597	18,395,567

年は年初推計値。1926～59年の
www.demoscope.ru/weekly/pril.
用（http://stat.gov.kz/census/national/

ラカルパク自治州の値を除いた
（kashgartsy）という民族カテゴ

表1－1　民族構成，1926〜2019年

	1926	1939	1959	1970	1979	1989
カザフ人	58.5	37.8	30.0	32.5	35.9	40.0
ロシア人	20.6	40.0	42.7	42.6	40.9	37.6
ウクライナ人	13.9	10.7	8.2	7.2	6.1	5.4
ドイツ人	0.8	1.5	7.1	6.6	6.1	5.8
タタール人	1.3	1.8	2.1	2.2	2.1	2.0
ウズベク人	2.1	2.0	1.5	1.7	1.8	2.0
ベラルーシ人	0.4	0.5	1.2	1.5	1.2	1.1
ウイグル人	1.0	0.6	0.6	0.9	1.0	1.1
朝鮮人	0.0	1.6	0.8	0.6	0.6	0.6
その他	1.4	3.5	5.8	4.2	4.3	4.4
	100.0	100.0	100.0	100.0	100.0	100.0
全人口（人）	6,196,356	6,151,102	9,309,847	13,026,274	14,709,508	16,222,324

出所：1926〜89年はソ連国勢調査，1999〜2009年はカザフスタン国勢調査，2019
データは高等経済学院人口研究所（ロシア）の Demoskop weekly（http://
php），1970〜2019年のデータはカザフスタン経済省統計委員会のサイトより引
2009/general; http://stat.gov.kz/official/industry/61/statistic/5）。

註：1926年のデータはカザフ自治共和国の値から同自治共和国領内にあったカ
もの。なお，この年のセンサスではタランチ（taranchi），カシュガルツィ
リーが設けられたが，ここではそれらの人口はウイグル人に統合した。

れ以前の名称はアクモリンスク）。独立後にアクモラと改称され、遷都後にはカザフ語で首都を意味するアスタナに改められたが、二〇一九年にまた別の名を与えられたことは前述したとおりである。

カザフ遊牧民を襲った大飢饉と外来民族の増加により、一九五九年のソ連国勢調査では、全人口に占めるカザフ人の割合はわずか三割にまで落ち込んだ。他方、ロシア人の割合は四割を超え、同じスラヴ系であるウクライナ人、ベラルーシ人と合わせると過半数に達していた。だが、この傾向はまもなく逆転し、一九六〇年代末以降、人口流出が流入を上回るようになると、カザフ人の割合は緩やかに増大していく。

独立後の変化

ソ連解体後の社会的・経済的な混乱期には、多くの住民が国外へ移住し、一九九〇年代半ばには流出がピークに達した。それに出生率の低下も加わり、カザフスタンの人口は独立時の一六三六万人から一四八五万人（二〇〇二年）にまで落ち込んだ。

国外に移住した人びとのうち、数の多さで際立っていたのがロシア人とドイツ人である。彼らのほとんどはそれぞれ、「同胞」の受け入れ政策を実施してきたロシアとドイツに移っていった。ここで注意すべきは、カザフスタンを去る決断をした人びとは民族的帰属を理由に迫害を受けていたわけではない、という点だ。その動機はさまざまだが、ほぼ共通しているのは、よりよい暮らしの追求と将来への不安であろう。

他の旧ソ連諸国と同様、カザフスタンでも独立後に基幹民族を中心とする国家建設がおこなわれ、政治・経済の重要ポストの多くはカザフ人によって占められるようになった。文化的な脱ソヴィエト化・脱ロシア化も進み、カザフ語の使用範囲も拡大しつつある。非カザフ人、とくにソ連全体の多数派でカザフスタン住民としての意識が希薄だったロシア人が、こうした動きに居心地の悪さを感じたのはたしかだ。しかしカザフスタンの「カザフ化」政策は比較的穏健なかたちでおこなわれており、分離独立や領土的自治など、政治的要求を背景とする暴力的な民族紛争を引き起こすには至っていない。

入れ替わりに、独立国となったカザフスタンへは周辺諸国からカザフ人が移住してきた。これには

ヴォズネセンスキー主教座教会（アルマトゥ）［筆者撮影］

政府の在外カザフ人呼び寄せ政策が大きく影響している[15]。カザフ民族の故地であるカザフスタンは在外同胞に道義的責任を負うという立場から、政府は彼らに国籍を与え、移住費用の保障、住宅購入資金の援助などもおこなってきたのである。また、この呼び寄せ政策には、カザフ人人口の増大に加え、言語的・文化的カザフ化の推進という目的もあった。在外カザフ人は、ロシア化の波にさらされたカザフスタンの同胞に比べ、比較的よく民族の言語や伝統を保持していたからだ。

カザフスタン政府の公式統計によれば、一九九一年から二〇一五年一〇月までにカザフスタンに移住したカザフ人は九五万六〇〇〇人で、全人口の五・五パーセントを占めている[16]。彼らの出身国はウズベキスタンが全体の六割以上で、それに中国、モンゴル、トルクメニスタン、ロシアなどが続いている。

この数字をみる限り、カザフ人呼び寄せ政策は一定の成果を収めたかにみえるが、移民の社会統合や就業という点で課題も多く残されている。カザフスタンの都市部では現在もロシア語が広く使われており、ロシア語ができなければ就職には不利である。そのため、旧ソ連以外の出身の移民はしばしば、父祖の地で外国語を学ばなければならないという皮肉な状況に置かれている。言語的障壁だけが理由ではないが、安定した職に就くことができないケースも多い。

カザフ語とロシア語

筆者が初めてカザフスタンを訪れたのは、一九九〇年の冬、あと数日で新年を迎えようというころだった。アルマトゥの空港に降り立ったとき、ロシア語のアルファベットに似てはいるが馴染みのない文字列が目にとびこんできて、ロシアとは違う「外国」に来たのだなあ、と実感したことを覚えている。

カザフスタンでおもに使われている言語は、カザフ語とロシア語だ。カザフ語の表記にはロシア文字を改良した文字が使われているが、カザフ語はロシア語とはまったく異なるテュルク系の言語で、語順などの点で文法的にはむしろ日本語と共通点がある。カザフ語の使い手はカザフ人が中心だが、ロシア語はほとんどの人が理解することができ、またそれを第一言語とするのはロシア人に限られない。多民族国家カザフスタンにおいて、ロシア語は民族間のコミュニケーション言語として機能して

アルマトゥ市中央モスク［出所：Wikimedia Commons］

いるのである。

ソ連時代には、その初期こそ各共和国内で民族語による教育と事務用語としての使用に重点がおかれたが、一九三〇年代半ば以降はロシア語重視の傾向が続いた。すべての学校でロシア語教育が義務化されたうえ、高等教育がロシア語中心だったため、社会的上昇のためにはロシア語の知識が不可欠だった。なかでもロシア系住民の比率が高かったカザフスタンでは、他の中央アジア諸国に比べ言語的なロシア化がより深く進行した。

ソ連末期のペレストロイカとカザフスタンの独立は、こうした言語状況に変化をもたらした。一九八九年には、他の共和国と同じくカザフスタンでも言語法が採択され、カザフ語が国家語とされた。この背景には、ロシア語が事実上の公用語として用いられていた一方で、カザフ語教育が軽視され、使われる範囲も限られていることに対するカザフ人の不満があった。独立後は憲法にもカザフ語の地位が明記され、その発展と使用範囲の拡大を目指す諸政策が実施された。

ちなみに憲法には、カザフスタン共和国の大統領はカザフ語に堪能でなければならないという規定がある。これによってほとんどの非カザフ人は実質的に立候補を阻まれているが、言語能力を問われるという点ではカザフ人も同じである。実際に二〇一九年の大統領選挙では、あるカザフ人、しかも体制派の候補がカザフ語の試験に落第し、立候補を認められなかった。

近年、カザフ人人口の増加という構造的要因もあり、カザフ語の使用範囲は拡大しつつある。しかし、マスメディアや科学・学術、ビジネスなどの分野におけるロシア語の地位は、いまだ揺るいではいない。憲法では、ロシア語は国家機関において、カザフ語と同等に、公的に使用されると定められている。この規定は、国家を象徴する言語としてのカザフ語の地位を損なうことなく、事実上ロシア語が公用語として機能してきたことを追認し、ロシア語を母語とする人びとの不安を取り除くことを目的とした政治的妥協の産物といえよう。

独立後のカザフ語普及策にもかかわらず、カザフ人以外の民族出身者でカザフ語を自由に操る人はまだ少数派だ。例外はウズベク人やウイグル人など、テュルク系の言語を話す民族で、彼らのカザフ語の習得率は比較的高い。とはいえ、カザフ語をうまく話せないことを理由に、非カザフ人が非難されることはあまりない。そうした批判はむしろ、ロシア語を母語とする同胞に対して向けられることが多いのだ。都市部やロシア系住民の多い地域で生まれ育ち、ソ連時代に教育を受けたカザフ人のなかには、カザフ語よりもロシア語のほうが流暢な人が少なくないからである。

なおカザフ語の表記は、二〇一七年一〇月の大統領令により、二〇二五年までにラテン文字に移行させることが決まっている。この方針については、移行コストの大きさや世代間コミュニケーションの断絶への懸念から反対意見も出されているが、若者層を中心に全体としては支持されている。その理由として、ラテン文字のほうがカザフ語の音韻表記に適していることや、情報技術（ＩＴ）を利用するうえでの利便性があげられている。この文字変更をロシアからの離反を意図したものと見る向きもあるが、それはやや単純化した見方だろう。ただ、カザフスタン側にロシアの強い文化的影響力を弱める意図があることも否定できない。ちなみに近隣の中央アジア諸国やコーカサス諸国では、すでにラテン文字が導入されている国もある。

四　人びとの暮らし

一般市民の生活水準

本題に入る前に、一般市民の生活ぶりについて簡単に紹介しておこう。手術の際に外科医に一〇〇〇ドル要求されたとか、大学教授に五〇〇〇〇テンゲ払って単位をもらったなど、人びとが語るカネのやりとりは、実に具体的だ[17]。しかし、それが一般庶民にとってどの程度の負担なのかを理解するためには、おおよその生活水準を知る必要があるだろう。

市場経済化を目指したショック療法と、連邦解体にともなう共和国間産業連関の崩壊によって激しく落ち込んだカザフスタン経済は、二〇〇〇年ごろから高成長に転じた。一九九〇年代に一三〇〇～一四〇〇ドル台だった一人あたり国民総所得（GNI）も、二〇一〇年代初頭には一万ドルを突破した。こうした急成長を支えたのが、外資導入による石油・ガス産業の生産拡大と、国際市場における資源価格の上昇である。国際金融機関の分類では、カザフスタンは「高中所得国」（upper middle income country）に位置づけられ、政府開発援助（ODA）を受ける側からおこなう側に移行しつつある。周辺の中央アジア諸国にとっては、カザフスタンはロシアと並んで主要な出稼ぎ先のひとつだ。

カザフスタン国家経済省統計委員会によれば、二〇一八年の労働者一人あたり平均名目賃金は月額一六万三〇〇〇テンゲ（四七〇ドル）であった。ただし、業種によって大きな違いがある。比較的高賃金なのは金融・保険（全産業平均の二・〇倍）や、輸出の主力である鉱業（同二・三倍）部門で働く人びとだ。教育・医療分野の待遇の悪さは教師や医療者の収賄につながっているとしばしばいわれるが、その賃金はたしかに平均値をかなり下回っている。教育は〇・六三倍、保健・社会サービスは〇・六八倍だ。また地域間の格差も無視できない。ヌル＝スルタン、アルマトゥ、および石油開発で潤うカスピ海沿岸地域とそれ以外の諸州とでは、賃金水準に二～三倍の開きがある。

そもそも現在のカザフスタンでは、長期にわたって安定した職に就いている人はむしろ少数派である。公式統計には表われないような短期・単発の仕事で食いつなぐ人や、複数の仕事を掛け持ちしている人も多い。都市部の非公式な仕事としては、男性ならタクシー運転手、女性なら家政婦やベビーシッターなどが代表的だ。いわゆる「白タク」は市民の足として定着しており、それをほぼ専業にしている人以外にも、他人を同乗させて小遣い稼ぎをすることもしばしばおこなわれている。アパートの賃貸料も重要な収入源で、なかには家賃が安い家に引っ越して自宅を貸し、その差額で生計を立てている人もいる。これに対し、農村部では現金収入を得る機会は限られている。

他方、支出はソ連時代とは比較にならないほど増大している。豊富な品物が店に並ぶようになり、サービスも発達して便利にはなったが、その分、お金も必要だ。かつては無料だった医療・教育関連の出費、手厚い補助金によって安く抑えられていた電気、ガス、水道などの公共料金の支払いも、家計に重くのしかかる。定職に就き平均的収入があったとしても、やりくりはさぞかし大変だろうと思うのだが、都市住民の購買意欲はなかなか旺盛だ。大型スーパーや家電店、ショッピングモールは買い物客でにぎわっている。一定の収入がある家庭では、子どもを短期・長期で留学させたり、家族で海外旅行に出かけたりすることも珍しくない。富裕層は高級車に乗り、ハイグレードなマンションや瀟洒な一戸建てに住んでいるが、彼らの暮らしぶりを見ると経済格差の大きさを実感させられる。

ここでカザフスタンの通貨テンゲ（Tenge）についてひとこと述べておこう。カザフスタンは一九九三年にロシアのルーブル圏を離脱して独自通貨を導入したが、過去数回、ドルに対して大幅な切り下げがあり、そのたびに市民生活が大きな打撃を受けた（テンゲの対ドル為替レートは附録を参照）。日本で庶民が外貨を買うのは海外旅行に行くときくらいだが、カザフスタンでは外貨購入は自国通貨の暴落に備えるための生活防衛策でもある。市内のいたるところに両替所があり、ドル、ユーロ、ポンドなどを売買しているが、最近では中国による影響力の拡大を反映して、元を扱うところも増えている。国外で仕入れた商品を国内で売りさばく個人や業者が多いことも、両替の需要が高い理由のひとつだろう。

生活のなかの賄賂

プロローグで述べたように、カザフスタンではごくふつうの日常生活のなかに、贈賄やコネの利用が浸透している。では、そうした非公式なやりとりは、どのような分野に、どの程度広まっているのだろうか。

表1－2は、カザフスタンの民間調査機関であるサンジュ調査センターが、二〇〇六年秋、過去一年半のあいだに公的機関とかかわりを持った個人・法人を対象に、「非公式なサービス」について尋ねたアンケート調査の結果である。カザフスタン全国で実施され、サンプルサイズは五七六〇、その一七パーセントが法人だ。表の数字（パーセント）は、各機関の利用者を母数とし、そのうちどれだけの人（あるいは団体）が非公式に便宜を図ってもらったのかを示している。個々の機関についてのサンプルサイズは一六〇～一七〇しかなく、精度が高いとはいえないが、実態を知るための手掛かりにはなる[18]。

なお、この「非公式なサービス」には、賄賂と引き換えにおこなわれたものだけではなく、口利き、あるいは賄賂と口利きによって提供された便宜も含まれている。ここではカネとコネの関係はひとま

表1－2　国家機関における腐敗

順位	国家機関	%	違反内容
1	交通警察	55	交通規則違反黙認，運転免許証交付，自動車登録，車検合格
2	税関	46	通関手続きの緩和，違法貨物持込黙認
3	衛生・伝染病局	41	良好な検査結果，証明書交付
4	国立大学	40	国費（無料）枠提供，科目試験合格，専攻変更
5	保育園	40	入園，時間外保育
6	建設局	39	建築や増改築の認可，証明書交付
7	土地登録	37	土地の登記，私有化，証明書交付
8	刑事施設	36	受刑者の仮釈放，恩赦，刑罰の軽減，面会や荷物受取の許可
9	財務警察	35	収賄の黙認
10	国境警備隊	33	出入国違反黙認
11	移民警察	32	住民登録，労働許可
12	裁判所	31	有利な判決
13	鉄道輸送	31	特定日時の切符の手配，切符なしの乗車，車両や側線の貸切
14	地区軍事局	31	軍人手帳交付，徴兵猶予，兵役不適当の医師診断書，軍人の階級称付与，特定の軍隊や都市における従軍，入隊許可
15	不動産登録	30	不動産登記，証明書交付
16	警察	29	刑事事件のもみ消し
17	教育行政	27	保育園入園，全国統一試験の点数，後見人手続き
18	消防	26	防火証明書類交付，火災や違反に対する罰金の軽減
19	法務	25	各種書類手続き，会社登記，認可，文書認証，刑事事件に関する口利き
20	税務調査	25	申告遅延の黙認
21	検察	23	国家機関に対する不服申し立て，裁判所への口利き，刑期変更，ビジネスの庇護，競争相手の排除
22	環境局	22	密猟，密漁，不法伐採の黙認，罰金の免除，企業活動等の許可
23	国立病院	22	手術の謝礼，治療や検査、薬代の自己負担
24	通信	22	電話回線設置，回線修理
25	地方行政府	21	住宅および土地の入手，公的支援により建設された住宅への優先的入居，墓地の入手，起業
26	旅券課	20	身元証明書，居住登録証交付
27	学校	19	特定の学校への入学，卒業証書の成績，学校への就職

出所：Turisbekov Z., Zh. Dzhandosova, A. Tagatova, and N. Shilikbaeva, *Administrativnye bar'ery kak istochnik korruptsionnykh pravonarushenii v sfere gossluzhby* (Almaty, 2007), pp.40-42.

註：第28～34位は省略。「違反内容」にある説明は若干補足ないしは割愛した。とくに「財務警察」の欄は引用した表では空欄になっている。「不動産」と「土地」は内容が重複するがそのまま記載した。

ずおいて、どのような場面で公式な手続きが回避されるのか、調査結果を参照しつつ具体的に紹介しよう。

まず目につくのは、治安維持と徴税にかかわる国家機関だ。文句なしの第一位は交通警察である。交通警察は法執行機関のなかでも、一般市民にとってもっとも接触する機会の多い機関だろう。交通規則違反の取り締まりや運転免許証の交付は、賄賂の取り立ての口実となる典型例である。組織的収賄という点では、税関も警察と並んで悪名が高い。そのほか、腐敗取り締まりが担当の財務警察、国内外の移動と居住実態を管理する移民警察、国境警備隊、税務調査も比較的上位に入っている。

つぎに、裁判所と検察、刑事施設における「非公式なサービス」の提供も深刻だ。カネやコネで自分に有利な判決を勝ち取ったり、罪を犯しても収監を逃れる、あるいは減刑してもらう、といった不正は珍しくない。司法の公平性という原則が、賄賂や縁故でゆがめられているのである。

教育・保育関係も目を引く。国立・私立を問わず、カザフスタンの大学の学費は有料で、一般家庭の家計に大きな負担となっている。ただし全国統一試験（ロシア語の略称はＥＮＴ）の成績がよければ政府の奨学金を受けることができ、学費は免除されるため、ＥＮＴをめぐる不正が絶えない。また大学入学後も、賄賂と引き換えに単位をもらう、卒業論文をカネで買うなどの不正がしばしばおこなわれている。

子どもを保育園に入れるために、園長や行政の担当者に賄賂を渡す親も珍しくない。日本と同じく、カザフスタンでも公立保育園の入園枠が不足しており、申し込んでもすぐには入れないことが多いからだ。保活の深刻さたるや、入園を申し込んで返事がきたころには、子どもはもう大学生になっていたとか、軍隊に入っていた、というジョークが流行るくらいである。

カザフスタンは徴兵制を敷いているため、息子を持つ親にとって入隊させるか否かは重大な関心事だ。徴兵検査をおこない、合格か、軍務に不適当かの判断を下すのは、地区軍事局である。新兵いじめを心配する親は、この地区軍事局につながる人脈を探し出し、なんとかして息子の徴兵免除を勝ち取ろうと画策する。ただし、賄賂を使って徴兵を回避するのはおもに都市部の現象で、農村部では逆にカネを払ってでも子どもを入隊させようとする親もいる。農村部では失業問題がより深刻なため、ニートになるよりは軍隊に入ったほうがいい、と考える人が多いからだ。

学校や保育園と並んで、生活に密着しているのが診療所と病院だ。カザフスタンでは公費でカバーされる医療サービスの範囲が法律で定められており、その枠内であれば無料で医療機関を受診できることになっている。しかし現実には医療者が患者に「謝礼」を要求し、それを条件に治療を施すことが常態化している。とりわけ深刻なのが、救急搬送されたけが人や病人、緊急手術が必要な患者に対して、公然と金銭を要求するケースである。

不動産関係の行政窓口も贈収賄の温床となっている。不動産の売買や相続、住宅の建築や改修には、多くの書類の提出が必要とされ、手続きも煩雑だ。また、国の住宅プログラムによって建設され、家賃やローンに優遇措置が設けられているアパートへの入居は競争率が高く、順番を早めるためにしばしば賄賂が使われる。

なお、表で第三位にあげられている衛生・伝染病局は厚生省の組織で、しばしば衛生上の不備を理由に賄賂を取り立てる。その主なターゲットは飲食店や商店、バザールである。

こうした分野別の詳しい事例は第3～6章でとりあげることとし、次章では、ソ連解体と市場経済の導入を経て、カザフスタンにおけるコネとカネの使い方がどう変化したのかを考えてみよう。

第2章　市場経済化がもたらしたもの

一　計画経済から市場経済へ

蔓延する贈収賄

「問題を解決できるかどうかは、お金しだいですよ」。

こう断言するアリヤは、四人の子どもを育てるシングルマザーだ。離婚後は、家計を支えるためにベビーシッター、掃除婦、販売員と、できる仕事はなんでもやってきた。彼女は民族的にはカザフ人だが、自分のアイデンティティはソ連人だという。そして、ソ連時代のほうがより平等で公正で人間的だった、と当時を懐かしむ。

アリヤが言うには、公的機関で便宜を図ってもらいたければ、昔はチョコレートとコニャックかウォッカを持参すればよかったが、いまそんなものを持っていったら心証を悪くされる。以前は、いい人だと思ったらお互いに親切にしたものだし、友だちなら「ありがとう」の一言で済んだ。しかし、いまの時代、何かしてほしければ、形のあるもの、しかも現金か高価な贈り物でお礼をしなければいけない。菓子折りで済ませようものなら、「私がしたことはこの程度の価値しかないのか、馬鹿にするな」と怒り出す人もいる。ソ連時代は、金品を受け取るのはリスクがあったし、倫理的に恥ずかしいことだという意識もあった。だがいまでは、役人が欲しい金額を紙に書いて相手に見せるのが、あたりまえになってしまっている。

アリヤのような考えは、ソ連時代を知る世代の多くに共有されている。当時と比べて贈収賄がどう変化したかと尋ねると、彼らは十中八九「ずっとひどくなった」と答えるのだ。昔も袖の下を使うことはあったが、発覚すれば厳しく処罰されたし、そもそも人びとは共産党を恐れていた。口利きのお礼にしても、せいぜいお酒やお菓子を渡せばよかったが、いまはそれで満足する人はいない。何をするにもカネが必要で、それがむしろあたりまえになっている、と。

航空運輸会社に勤める四十代の男性は、皮肉交じりに言う。

「もしカネで解決できないことがあったとしたら、それは金額が足りないだけだ」。

このように主張する人たちも、ソヴィエト市民が清廉潔白だったと考えているわけではない。ソ連時代も、さまざまな手段で公式な手続きを回避することは決して珍しくはなかった。ただし計画経済のもとでは、より効力を発揮するのはカネよりもコネである。なかでも、不足する商品やサービスを知人・友人のつてで入手するのは、生活上、欠かすことのできない方法だった。工場の労働者は製品を、商店の売り子は商品を知り合いに横流しし、医師は国から支給された医薬品を近しい人に融通する。こうした行為は公共の利益に反するが、それは職権濫用というより、当然の役得とみなされていた。人びとは自分が手に入れることができるモノやサービスを交換することで、計画経済の欠陥を補っていたのである。

しかし市場経済化後は、かつてコネが担っていたことの多くがカネで処理できるようになった。それは、物不足が解消され、店頭に豊富な商品が並ぶようになったことだけを意味するのではない。いまや、交通違反の見逃し、公的機関への就職、保育園への入園や学校・大学への入学、学業成績、裁判所での有利な判決、公費負担の治療など、ありとあらゆることが現金で取り引きされているのだ。

コネ中心の社会からカネ中心の社会へ。こうした変化は、単に「賄賂のやりとりが増えた」と認識されているだけではない。アリヤのようなソ連世代の多くが、市場経済化の前後で人間関係のあり方、メンタリティや価値観も大きく変わったと考えているのである。

もともとコネで非公式に物事を進めることが当然視されていた社会に、市場経済を短期間で強引に導入したらどうなるか。本章では、コネとカネの使い方が市場経済化前後でどのように変わったのか、それはなぜなのか、また人びとは両者をどのように使い分けているのかを考えてみよう。

一〇〇ルーブルより一〇〇人の友

厳格な共産主義国家という通俗的なイメージとは異なり、ソ連では非公式な人間関係が重要な役割を果たしていた。「一〇〇ルーブルより一〇〇人の友を持て」とは、友情の大切さを説いたロシアの金言だが、ソ連社会の特徴を簡潔に言い表わしているともいえる。同級生、同僚や隣人、同郷者や親族など、あらゆる人的ネットワークを動員することが、生活していくうえで不可欠であったからだ。

日本語の「コネ」に相当するロシア語の単語のひとつに「ブラト」（blat）がある。ロシア出身の社会学者アリョーナ・レデニョヴァは、ブラトを「供給不足の商品やサービスを入手するため、公式な手続きを回避し個人的なネットワークや非公式な縁故（contacts）を利用すること」と定義している[1]。計画経済のもとで物資やサービスが不足していたソ連では、お金があっても必ずしも欲しいものを買うことはできなかった。そのため、コネで手に入れる必要があったのである。

ちなみに筆者は、物不足が極度に悪化していたソ連末期のモスクワに、一〇か月ほど語学留学した経験がある。現地で最初に覚えた単語のひとつが「不足」（defitsit）だ。スーパーに行ったらパンと冷凍イワシしか売っていなかったとか、長時間行列に並び、やっと順番がきたと思ったらお目当ての品が目の前で売り切れてしまったとか、思い浮かぶエピソードには事欠かない。先輩の日本人留学生たちは、百貨店の品ぞろえがあまりに乏しいので、皮肉を込めて「一貨店」と呼んだものだ。

コネは就職や昇進など、モノやサービスを入手する以外の目的でも使われたが、庶民にとってもっとも切実なのは物資の調達だった。人びとは、勤務する国営企業の製品や国営商店の商品など、自分がアクセス可能な公的資源を互いに融通し合っていた。こうした個人的なネットワークは、単に食品や日用品、医薬品などをすばやく確保するだけでなく、良質なものや希少価値のあるものを手に入れ

外貨交換所（アルマトゥ）［筆者撮影］

ることを可能にしたのである。

レデニョヴァは、ブラトの特徴として「非金銭的な互酬関係」を強調している。モノやサービス、あるいは口利きなどの便宜の提供は、基本的に金銭を介在せずにおこなわれた。返礼として菓子やお酒を渡すことはあったが、それはあくまで謝意を示すためであり、金額の多寡はさほど重視されていなかった。ただし暗黙の了解として、相手に必要が生じた際には援助することが前提とされていた。いわば「バーター」である。ブラトは金銭をともなわなかったために、「友情」のレトリックによって美化された。第三者の目にはコネの利用と映る行為を「助け合い」の名のもとに正当化するメンタリティは、現在のカザフスタンにも根強く残っている。

他方で、社会主義のもとでは、モノ不足やさまざまな制約からカネの使い道は限られていたが、少ない現金収入でもそれなりの暮らしを営むことができた。医療や教育、住居から年金にいたるまで、国家が基本的生活を国民に保障していたからである。病院の診察や治療、学校の授業料は無料で、学生には奨学金が支給されていた。水道やガス、電気やセントラルヒーティングなどの料金は低く抑えられており、メーターがないため節約する必要もない。都市住民の大半は勤務先の企業や団体などを通じ、国有アパートをわずかな賃料で借りることができた。彼らにとって住宅は買うものではなく、「受け取る」ものだったのだ。もちろん、ソ連の一部を構成していたカザフスタンの人びとも、こうした手厚い社会保障を享受していた。

モノ不足からカネ不足へ

カネの使い道は限られるものの、誰もが最低限の生活を保障されていた時代は、ソ連崩壊とともに消え去った。市場経済導入のための諸改革は、価格自由化によるハイパーインフレ、国営企業の閉鎖や集団農場の解体による失業者の増大、賃金の遅延と未払い、社会保障予算の大幅カットをもたらし、人びとの暮らしに大きな打撃を与えた。また、多くの市民が安定した収入を失った一方、私有化の過程で国有資産が旧体制エリートに簒奪され、貧富の格差が拡大した。

ソ連解体に続く混乱期だった一九九〇年代半ばまでは、生産の大幅な低下と経済の急激な悪化にともない、モノ不足はむしろ深刻化した。しかし、その後の消費生活は計画経済の時代から激変している。スーパーマーケットには輸入品を含む多種多様な商品が並べられ、都市部では大規模なショッピングセンターもつぎつぎに誕生した。ありとあらゆるサービス産業が発達し、お金さえあれば便利で快適な生活が可能になった。語彙としても、不足経済と密接な関係があるブラトはほとんど用いられなくなった。市場で入手できるモノやサービスを手に入れるために、わざわざコネを利用する必要性はなくなったのである。

他方、社会主義的福祉国家に守られていた生活は一変した。かつては無料もしくは低価格で提供されていたさまざまな公共サービスは、相応の利用者負担が求められるようになった。カザフスタンではいまも基礎的な医療や義務教育は無料だが、医療サービスは一部有料化が進んでいる。大学の入学金や授業料は高騰しており、国の奨学金は枠が限られている。公営住宅の供給は激減し、住宅はローンを組んで購入するのがあたりまえになった。また、ソ連から引き継いだ年金制度は一九九〇年代に年金の未払いが深刻化し、新たに積立方式が導入されたものの、たび重なる通貨切り下げやインフレ、運用方法に対する不信感などから制度への不安が増している。

ソ連的なコネ社会も変化した。かつては「私は君に、君は私に」(ia tebe, ty mne) という便宜の交換が中心だったのに対して、市場経済のもとではこうしたやりとりにカネが介在するようになった。むろん、ソ連時代に贈収賄が存在しなかったわけではない。しかし非公式な問題解決の方法としては、職権などを利用した口利きが中心だったのである。現在も、知人・友人や親族のコネで物事を処理することは、ごくふつうにおこなわれている。ただしその場合も、しばしば金銭や高価な物品による「謝礼」が発生しているのだ。近しい人に頼みごとをして借りをつくるよりも、カネで解決したほうがいいと考える人も増えている。都市部では、カザフ人社会において当然視されてきた親族間の相互扶助も、一部、そのかたちを変えつつある。

コネはモノやサービスを手に入れる手段としてはその役割をほぼ終えたが、就職、銀行からの資金調達、公共事業の落札、事業に対する許認可の獲得など、より多くのカネを得るために欠かせない手段になっている。なかでも、公務員は安定した収入が得られることから就職先として人気が高く、その際にコネが効力を発揮する。ただし、ここにも「市場原則」が浸透している。公職を得るにはコネだけでは不十分で、カネの支払いが不可欠なのだ。公務員、警察官、税務職員、裁判官などの給与は必ずしも高くないものの、賄賂という非公式収入が期待できる。公職の「購入」に高いコストがかかったとしても、そのカネを取り戻す機会は十分あると考えられているのである。

二　変化するライフスタイル

「早める」のはなぜか

筆者は二〇一三年夏、カザフスタンの民間調査機関に委託し、「非公式な問題解決」に関する意識調査を実施した。サンプルサイズは八五七名で、カザフスタン全国が対象だ(2)。

過去二〇年間に、自分自身や家族の生活・仕事上の問題を解決するために、「お金か贈り物」を渡さなければならなかったことがあるかを尋ねたところ、「非常にしばしば」と答えた人が全体の六・七パーセント、「ときどき」が三一・四パーセントであった。実に回答者の四割近くが、金品を渡したことがあると告白している。こうした金品の授受はデリケートなテーマだ。自分がおこなっていても、他人に聞かれたら否定することもあるだろう。過少報告の可能性を考慮すると、実際の数字はこれよりさらに高い可能性もある。

興味深いのは、なぜお金や贈り物を渡したのか、その理由である（表2－1）。この質問は、先の問いに「非常にしばしば」もしくは「ときどき」と回答した人（三三三人）を対象としている。

表2－1　お金や贈り物を渡した理由（複数回答）
（単位：％）

理由	％
時間がない，合法的に解決できない	31.9
だれもが渡している，そうするのが当然	21.1
よりよいサービスを受けたかった	20.4
強要された	18.3
トラブルになることを恐れた	14.6
手助けに感謝した	13.3
問題解決にお金がかかりすぎる	9.0
回答できない	6.5

出所：筆者作成

もっともポピュラーな答えは「時間がなかった、あるいは合法的に解決することができなかった」というもので、三人に一人がこの理由をあげている。続いて、およそ五人に一人が「そうするのが当然」「よりよいサービスを受けたかったから」と答えている。賄賂を強要されたという回答は四番目に多いが、渡す側の都合をあげた回答や、カネによる解決を当然視する見解がそれを上回っていることは注目に値する。

「みんなが早めたがるのがいちばんの問題だ」。

ある三十代の外科医は、贈収賄が蔓延する理由をこのように説明した。この「早める」（uskorit'）という表現は、目標達成に必要な時間を短縮するという意味でよく使われる言い回しである。お役所仕事に時間がかかりすぎたり、公立病院の診療や保育園への入園待ちに長い行列ができているときなど、人びとはカネやコネを使ってすばやく問題を解決しようとする。むろん、待ち時間を短くするために非公式な手段に訴えるのは、ソ連時代からの慣行だ。しかし市場経済化後の特徴は、カネの利用がより目立つようになった点にある。

不動産の売買や登録は、賄賂を払ってでも手続きを早めたくなる典型例といえるだろう。アルマトゥ郊外で一人息子と暮らすエレーナは、市内のアパートを売り払って今の家に移り住んだのだが、その際、何度もカネを渡す羽目になった。購入した住宅がもうひとつの住宅とくっついていたため敷地の分割許可を取らなければならず、ただでさえ煩雑な手続がいっそう複雑化し、必要な証明書が八種類にものぼっていたのである。

エレーナが役所の建設局に行くと、担当者は菓子折り、コニャックやシャンパンはいらない、と言明した。その担当者が紙に書いた金額は三〇〇ドル。声に出して言わないのは、盗聴を警戒しているからである。しかし、これはほんの始まりにすぎなかった。消防局から許可を取るのに三〇〇〇テンゲ(二〇ドル)、衛生・伝染病局は一〇〇〇テンゲ(七ドル)。ただ、意外なことに環境局はタダで済んだ。

つぎは測量だ。技師たちに頼むと、先客が多く時間がかかると言われたので、一万テンゲで順番を繰り上げてもらった。さらに、二か月は必要だという測量書類の作成を、三〇〇〇テンゲ払い、一週間で終わらせてもらう。ようやく書類を揃えて建設局に提出したが、その際にもカネを渡した。あとは区長がサインすれば終わりだが、一週間たっても事が進まない。エレーナが区長に、何が必要なのかと率直に尋ねると「一万テンゲ分、新聞を購読してくれ」と頼んできた。区長は、地元紙購読のノルマを課されていたのである。結局エレーナは、請われるまま七、八紙、それぞれ半年分を購読した。そもそも読むつもりもなかったが、せめてもの救いは「ストーブの燃料代わりにできたこと」だ。

なかには、一日も待てずに「早める」場合もある。若手研究者のアイグリは血液型を証明する書類を紛失してしまい、輸血センターで再発行してもらうことにした。受け取りは翌日と言われたが、彼女にはその日のうちに入手しなければならない事情があった。「なんとかならないか」と食い下がると、看護師に「二時間後に携帯に電話して」とそっと耳打ちされ、言われるがまま五〇〇テンゲ（三ドル）を払って書類を受け取ったという。アイグリは、自分から言い出したわけではないが、早く受け取りたかったのはたしかだ、と認める。五〇〇テンゲはたいした金額ではないが、後味は悪かった。

公式な手続きにのっとってやろうとすると、単に時間がかかるだけではなく、あちこちたらいまわしにされたり横柄な態度を取られたりして、嫌な思いをすることが多い。このことを指してよく使われるのが「神経をすり減らす」（tratit' nervy）という表現だ。

石油関連企業に勤める三十代の男性は、交通警察に賄賂を払う理由をこう説明する。警察が調書を作成するあいだ、三〇分は待たされる。それにサインして、銀行に行って罰金一〇〇ドルを払う。こんどはその領収書を持って警察に行き、窓口に提出する。そこで二、三時間は行列に並ばされる。こうやって奔走して神経をさんざんすり減らすか、その場で警察官に一〇ドル渡して終わりにするか。無駄な時間と余計なイライラを考えたら、後者を選ぶのは当然だ。

ちなみに証明書などの迅速な発行については、公式に有料化すべきだという意見もある。早く受け取りたい人のために特別料金を設定すればいい、というわけだ。

カネで借りを返す

カネが使われるのは、目的達成に必要な時間を短縮するためだけではない。ショートヘアにきりりとしたアイメイクの元小児科医マラルは、外国製化粧品や健康食品の販売を手掛けている。押しの強さがいかにもビジネスウーマンという印象を与える快活な女性だが、彼女にはコネの使い方について明確な戦略がある。自分が世話になった人には、お金や相応のプレゼントをすぐに渡すが、自分自身が誰かを世話したときには謝礼は受け取らない。いつか、頼みごとができるようにするためだ。

お金はエネルギー（energiia）ですからね。私がかけた手間に対して、その人がお金を返す。それでお互い借りはなし。でも、私がお金を受け取らなければ、その人はお返しをしないといけない。私が何か頼んだら断れないってわけ。

この説明は、非公式な問題解決における金銭の交換が持つ意味を的確に表現している。便宜を図ってくれた人に謝礼を払うということは、カネで道義的な負債を返済し、将来、便宜を返す義務を回避することを意味する。反対に、すぐにお返しをしなければ借りが残る。マラルは、自分の借りはすぐに返すが、相手への貸しは必要なときのために残しておくのだ。

マラルのやり方は、ソ連時代に主流だった非金銭的な交換方式と、市場経済化後に増大した現金清算方式の組み合わせである。「友情」や「助け合い」というレトリックが使われたソ連時代のコネ利用は、長期的な関係を前提とし、与えた便宜に対してすぐさま見返りを求めることはなかった。また非公式なやりとりは、基本的に金銭を介在させずにおこなわれた。しかし市場経済化後は、互酬的な関係を構築するかわりに、そのつど清算することが好まれるようになってきている。

便宜の清算はカネでおこなうとは限らない。

大学教員のサウレは、勉強嫌いな甥っ子の将来を心配して、よりレベルの高い高校に転入させようとした。しかし甥の成績ではとても入れない。そこでサウレは教育関係者の知り合いと、彼女自身の表現によれば「バーター」をした。甥が入学できるよう口を利いてもらうかわりに、サウレはその知人の親戚の女性が修士号を取る手助けをしたのである。その女性はサウレの大学で学んでいたのだが、成績が悪く口頭試験まで進めなかったため、試験だけは受けさせてもらえるよう同僚に頼み込んだのだ。知り合いといっても、サウレはその人物とは面と向かって会ったことすらない。すべて電話で済ませたのだが、それにもかかわらずこの取り引きは無事成立した。

カザフスタンの人びとが「コネ」(sviazi)というとき、それは必ずしも親戚や、長年の友人だけを指しているわけではない。この用語は、長期的かつ近しい関係だけでなく、何かを依頼するために必要に迫られてつくった人間関係をも含んでいる。目的にもよるが、探せばコネはたいてい見つかるものだ、というのが、現地の人びとの共通認識である。たとえば、賄賂を払って免許証を手に入れたかったら、周りの人に話してみる。そうすれば、誰かが必ず知り合いか、知り合いの知り合いを紹介してくれるのだ。

「現金払い」にせよ「バーター」にせよ、こうした実務的なコネを通じて受けた便宜は、通常、その場で清算される。その結果、互酬的な義務は残らず、人間関係も必ずしも維持されない。目的が達成されればそれで完結する、一回限りのドライな関係。これは、「私は君に、君は私に」というソ連時代の便宜の交換とは性格を異にしている。ある四十代女性の言葉を借りれば、用事が済んだら「他人に戻る」のである。

では、カネで手続きを早めたり、受けた便宜をすぐに清算するようになったのはなぜだろうか。市場原則の導入は、二つの側面で人びとの生活スタイルを大きく変化させた。ひとつめは時間の使い方だ。ひとことでいえば、社会主義時代より生活のスピードが速くなったのである。国家計画にもとづき誰もが職に就き、決まった仕事をこなし、一定の収入を得ていた時代は過去のものとなった。カネを稼ぎ生活を成り立たせるために、みんなが時間に追われるようになったのだ。家族を養うため、ダブルワーク、トリプルワークをこなしている人たちもいる。

ソ連時代のような互酬的関係を築くには、時間と手間が必要だ。いざというときに頼みごとをするには、日ごろのつき合いによって関係を維持しておかなければならない。こうしたネットワーク構築に多くの時間を投資することは、以前よりも敬遠されるようになってきている。

市場経済化が引き起こしたもうひとつの変化は、カネに対する需要だ。社会主義時代には完全雇用と年金、無償の教育と医療によって最低限の生活が保障されていた。水道やガス、電気などの公共料金は低く設定され、払えるかどうか心配する必要もなかった。食料品も、品数こそ限られていたが、必要最低限のものは安く手に入れることができた。他方、いくらカネを持っていたとしても、モノやサービスを自由に買うことはできなかった。カネだけでできることには限界があったのだ。

いまではカネさえ払えば高級マンションに住み、高度な治療を受け、子どもを海外留学させることも可能だが、日々の暮らしに必要な収入すら十分に得られない人も多い。富裕層も貧困層も、求めるものはカネである。便宜を提供する側も、いつか返してもらえるかもしれない便宜をあてにするより、確実に現金を受け取ることを好むようになってきている。

三　コネとカネの使い分け

コネの役割

ソ連時代の非公式な問題解決の手段はコネが中心だったが、近年、それがカネにとって代わられるようになってきている。しかし、カネだけですべてが解決できるわけではない。人びとはコネとカネを状況に応じて使い分けたり、効果的に組み合わせたりしているのである。

非公式な金銭のやりとりにおいて、コネは二つの役割を果たしている。

第一に、権限を持つ人物にアクセスするためにはコネが不可欠だ。これこそが取り引きを確実にするとともに、そのリスクを軽減する。いくら贈収賄が常態化していても、公になれば罪に問われる行為であることに変わりはなく、知らない人物から直接お金を受け取るのは大きなリスクがある。よく聞くのは「誰かのところにいきなり行って、カネを払うから○○をやって、とは言えないでしょう?」という説明だ。

また贈賄という行為の性質上、思いどおりの結果が得られなかったり、カネの持ち逃げや仲介者による横取りが発覚したりした場合でも、法的手段に訴えることはできない。そのため、直接的にせよ間接的にせよ、カネを渡す相手が信頼に足る人物か否かが、交渉の成否を左右する鍵となる。

袖の下を渡す際にコネが果たすもうひとつの役割は、「価格」への影響だ。強いコネは賄賂の金額を下げる働きをする。

以前、軍の附属病院で看護師をしていた女性は、息子二人を医科専門学校に入学させた。その際に頼ったのが、母親の近しい知り合いだった学長である。長男の入学の際には三〇〇ドル払い、その一年後、次男の入学時には三五〇ドルを払ったが、これは相場よりもはるかに安い金額だ。カネを受け取った学長は、入学を一〇〇パーセント保証する、と請け負ってくれた。この女性によれば、成績がよくても入学できない生徒がいるそうだが、彼女はその理由を「誰に心付けを払えばいいのか親が知らないんでしょうね」と推測する。

別の事例も紹介しよう。カザフスタン南部出身の若い男性は、徴兵を逃れるため、公務員専用病院で働いているオジを通じ、徴兵の責任者に五〇〇ユーロを支払った。この男性は、こうした親族のコネがなければ、その倍は必要だったのではないか、という。たしかに、筆者がアルマトゥでしばしば耳にした徴兵回避の相場は、一五〇〇〜二〇〇〇ドル程度だ。カザフスタン最大の都市と地方都市という違いを考慮に入れても、五〇〇ユーロが「割引価格」であったことは間違いない。

このように、解決したい問題について決定権を握る人物に有力なコネがある場合、それはしばしば価格を押し下げる効果をもたらす。しかし、仲介のせいで逆に価格が上がってしまうこともある。近い親戚や親しい友人は通常、お金を取らないが、それ以外の人に頼むと「手数料」が発生する場合も少なくないからだ。近しい仲介者による値引き効果と、ビジネスライクな仲介による追加経費を比べてみると、図2－1のようになる。

ある四十代の女性は、昔は誰かひとりに頼みさえすれば必要な人物につながることができ、いちいちカネを渡す必要はなかったが、いまは「かかわった人全員を満腹にしないといけない」と嘆く。また同世代の別の女性は、できるだけ人を介さず、問題を解決してくれる人と直接コンタクトを取るようにしているという。「あいだに立ってくれた人にもお礼をしなければいけないから、出費が二倍になる」というのが、その理由だ。

ソ連時代も口利きはごくあたりまえにおこなわれていたが、仲介者に謝礼を払うという考え方は一般的ではなかった。非公式な問題解決にかかるコストが増えたという認識が広まったひとつの要因は、

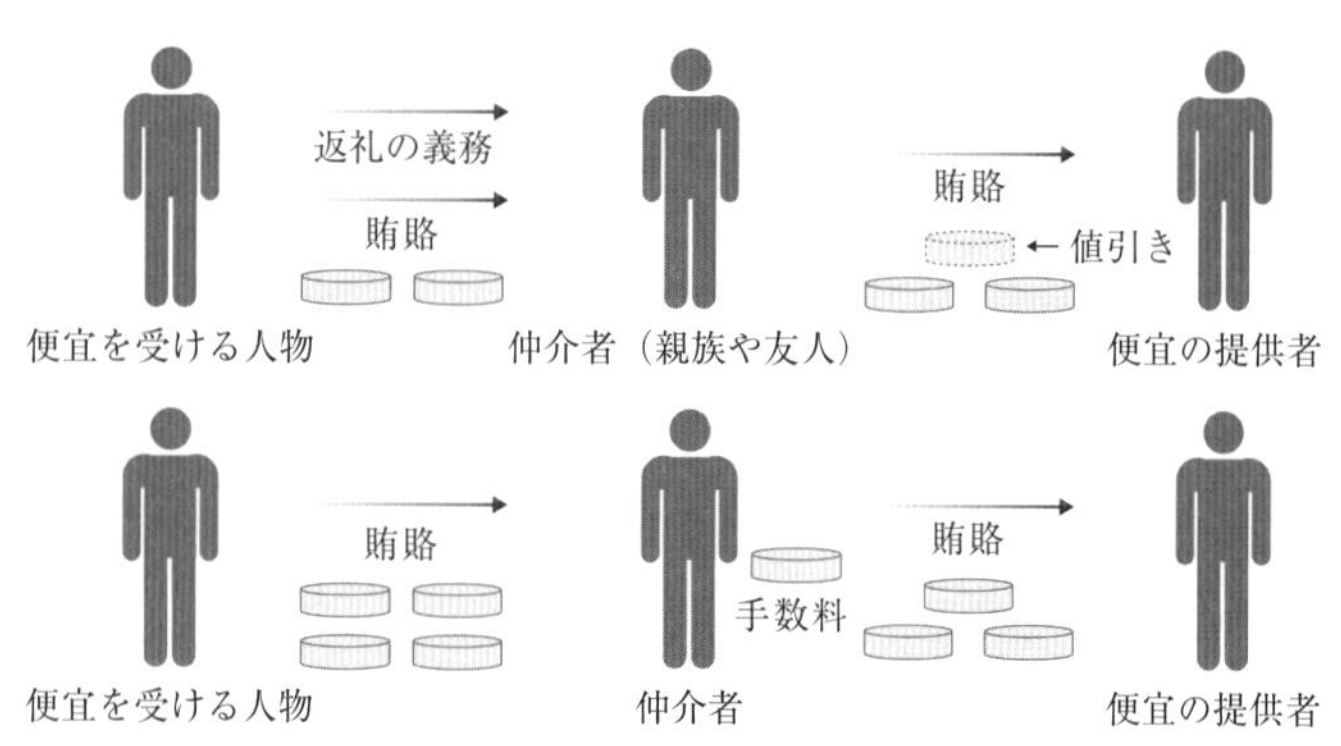

図２－１　仲介による賄賂の金額の変化
出所：筆者作成

仲介がしばしば有償の「サービス」としておこなわれるようになったことにある。なお、多くの場合、具体的な仲介のコストははっきりしない。仲介者は必要な全体額は伝えるものの、そのなかからどのくらい自分のポケットに入れるのかは、いちいち説明しないからである。

ある自営業の女性は、長年の知り合いを通じて一〇〇〇ドルを支払い、公的機関に就職することができた。高給だったのですぐに「初期投資」の元は取れたが、多額の公金を扱うプレッシャーは大きく、一年で職場を去る決心をした。しかし、その仕事ぶりを評価されていた彼女は強く慰留され、なかなか辞めることができなかった。そこで、思い切って上司に「就職するときだけではなくて、退職するにもお金がいるんですか」と聞いたところ、彼は非常に驚いていたという。あとになってわかったことだが、仲介してくれた知人が七〇〇ドルを自分の懐に収め、残りの三〇〇ドルを上司ではなく、人事課の職員たちに渡していたそうだ。

賄賂の金額はどう決まるか

強力なコネは、賄賂の金額を下げる働きをする。では、そもそも賄賂の金額はどのようにして決まるのだろうか。

表2-2は、実際に金品を渡したことがある人に対し、その価格交渉でいかなる要素が考慮されたのかを尋ねたものである。もっとも多い回答は「仲介者あるいは問題を解決した人が価格を指定した」だが、これは全体の四分の一にすぎない。また、受け取る側による価格の指定も、完全に恣意的になされるわけではない。

特定の問題の解決に必要とされる賄賂には、非公式な相場(stavka あるいは taksa)がある。違反や罪の内容(警察、裁判所)、密輸品の価格(税関)、成績や試験の点数(教育機関)、手術や治療の種類(医療施設)などに応じて決まるが、人びとは自分自身の経験や知り合いから聞いた話で、おおよその相場観を持っている。あるいは自分が知らなくても周囲に聞いてまわれば、比較的容易に調べることができる。こうした相場の存在は、贈収賄が恒常的におこなわれていることの証左であると同時に、賄賂のやりとりにおける市場原理の浸透を示しているといえるだろう。

元石油会社社員の男性は、知り合いの誕生日パーティーから帰宅する際、ほろ酔いでハンドルを握り、交通警察に捕まってしまった。そのままでは免許停止になってしまうため、知人を通じて裁判官に一〇〇〇ドルを渡し、事なきを得た。賄賂の金額はスピード違反、飲酒運転、人身事故など、違反がどの程度深刻かによって異なるのだ、と解説した男性は、それを店の買い物にたとえてみせた。

表2－2　**金額交渉で考慮された要素（複数回答）**
（単位：％）

仲介者／問題を解決した人が指定	26.6
問題解決の可能性1	24.1
相場	21.1
自分の収入	14.9
自分と問題を解決した人の関係	11.8
自分と仲介者の関係	7.1
自分の社会的地位	4.0
問題を解決した人の社会的地位	4.0
問題を解決した人の収入	3.7
回答できない	6.5

出所：筆者作成

「パンはパンでも高級品なら二〇〇テンゲ、低級品なら一〇〇テンゲでしょう」。

ただし、こうした相場はあくまでも目安でしかない。実際の金額は、支払う側の経済状況、依頼者、仲介者、受け取る人物それぞれの社会的地位や人間関係など、さまざまな要因に左右される（表2－2）。

冒頭で紹介したアリヤは、息子のひとりをアルマトゥ市の公務員にしたいと考え、二人の知り合いに相談した。複数にしたのは「値段を調べるため」だ。ひとりが紹介した職は月給二万テンゲ、要求された謝礼は一〇〇〇ドル。もうひとりの知り合いが提示した謝礼の額は一〇万テンゲ（六七〇ドル）で、月給は一万五〇〇〇から二万テンゲだった。この違いは何に起因するのか。アリヤによれば、一〇〇〇ドルの謝礼を提示した知り合いは自分も公務員なので、人事に決定権を持つ人物と直接コンタクトをとることができる。これに対してもうひとりのコネは弱く、したがって就職できる可能性も低かった。つまり、問題解決の可能性（表2－2では第二位）が影響したのである。

ちなみに、アリヤはどちらのコネも使わなかった。公務員の知り合いのつてですら一〇〇パーセント確実とはいえなかったし、そもそも提示された給与が低すぎて、借金してまで費用を工面する価値があるとは思えなかったのだ。

　便宜を図ってもらうために、カネを払うのはやむをえない。しかし、その金額を決める際には収入の多寡が考慮されるべきだ、という考え方が存在することは興味深い。表2－2の上から四番目にある「自分の収入」は、賄賂の価格決定に渡す側の支払い能力が考慮されることを示している。つまり、賄賂にも倫理的な基準があると考えられているのである。なかでも、ただでさえ生活が苦しい貧困層から多額の賄賂を取るのは許しがたい、という意見は根強い。

　また、謝礼の額はどの段階で問題を処理するかにも影響される。何かトラブルが発生したら、できるだけ早く対処したほうがコストは少なくて済む。たとえば、自分が犯した違反を見逃してもらいたいなら、現場の警察官と交渉したほうが、裁判官にカネを渡すよりもずっと安く上がるのだ。飲酒運転で捕まった元石油会社社員の場合、所用で家を離れていたため、事件発生から知人に相談するまでに二週間もたってしまっていた。仲介役の知人からは、裁判所に書類が行く前に自分に電話してくれれば、警察内部で処理できてもっと安上がりだったのに、と言われたそうだ。

　実は、価格交渉を左右する要因がもうひとつある。コミュニケーション能力だ。現地の人びとはしばしば、カネを「渡す能力がある」ことの重要性を強調する。リスクのある金銭の授受を成功させるには、相手を警戒させずに話をし、信頼を得、かつ自分の条件をのんでもらう必要があるからだ。相手に気に入ってもらえるような接し方を心得ているかどうかによって、金額も変わってくる。相手の心理を読み好感を持たせることができる人は、交渉をうまく成立させ、かつ「謝礼」を低く抑えることができるのである。

公職売買

現在のカザフスタンで、非公式に取り引きされているもののひとつに公職がある。役人や警察官、裁判官などのポストや教職までもが、しばしばカネで売買されているのだ。保育園の入園枠や運転免許証などと異なり、職はいちど購入すればそれで終わりではない。その地位を保証してくれるのは、あくまで「売り手」であるパトロンであり、組織ではないため、どの人物に誰を通じてアクセスするのかが重要になる。

公職売買については、カザフスタンの隣国であるキルギス共和国を対象とした興味深い研究がある。スウェーデンの政治学者ヨハン・エングヴァルは『投資市場としての国家』で、腐敗が法の逸脱ではなく事実上ゲームのルールと化している社会においては、公職をカネで買う行為は「国家への投資」とみなすことができる、と論じている。[3] つまり、公的機関のポストは非公式収入をもたらす有望な投資対象なのだ。この見方に立つと、なぜ給与の何倍もの金額を払い、ときには借金までして職を買うのか、その理由が理解できる。公的機関の職員は必ずしも薄給による生活苦から賄賂を取るのではなく、しばしば「初期投資」を回収するためにカネを集めているのである。

ポストを維持するには、最初の支払いだけでは不十分である。その職に付随する公式・非公式な収入は、仲間同士で分配するだけでなく、上司に上納しなければならない。エングヴァルは、このように下から上に流れる非公式なカネを、フランチャイズのロイヤリティにたとえている。つまり上納金は、公職にともなう権限を利用して個人や企業からレントを稼ぐ「権利」への対価といえる。

カネの回収は時間との闘いでもある。職に就いた者は、非公式収入によって就職の際に支払ったカネを取り戻そうとするが、それも上司が変わってしまえば難しくなる。新しい上司は自分の「チーム」を連れてくるからだ。そのため、職に就いているあいだにせっせと収賄に励み、急いで元を取ろうとするのである。

カザフスタン南部出身のリーザの親戚も、公職を購入したひとりである。彼が手に入れたのは、地元の地区教育局長のポストだった。その親戚は一〇年も無職で、教育分野とはまったく縁のない人物だったが、妻のきょうだいに「異動するから、一万ドルで私のポストを買わないか」ともちかけられた。そのカネは借金して工面したが、国の奨学金が欲しい親たちが袖の下を払うので、わずか一年で返すことができたという。

しかし、賄賂を渡した親のひとりが後になって国家保安委員会に訴えたため、彼は収賄罪で逮捕されてしまった。リーザの考えでは、これは上納金を払わなかったことが原因だ。彼は、保護者から取り立てた賄賂をすべて借金返済に回してしまったのである。カネが入ってこないことに腹を立てた上司が親をけしかけたのか、またカネを払っていたら収賄をもみ消してもらえたのかはわからない。ちなみに逮捕された男性には法曹界の有力者の親戚がいたため、その人物を通じて賄賂を払って刑期を減らしてもらい、一年もたたずに自由の身となった。

こうした職の購入の具体的な事例と、収賄・分配・上納という非公式なカネの流れについては、第3章以下でさらに詳しく述べることにしよう。

四　カザフ人の親族ネットワーク

親族のつながり

これまで述べてきたような市場経済化前後の変化は、旧社会主義国に多かれ少なかれ共通する。では、ほかの国々と比べて、カザフスタンにはどのような特徴があるのだろうか。カザフスタンは七〇年近くソヴィエト連邦の一部を構成し、かつては人口に占めるロシア人の割合もカザフ人に匹敵するほど高かったため、社会全体としては文化や慣習の面でロシアとの共通点も多い。しかし主要民族であるカザフ人は、ロシア人とはあきらかに異なる生活様式やメンタリティを持つ。

「カザフ人には親戚が多い」。

カザフ人は、しばしば皮肉を込めてこう言う。この表現は単にオジ・オバ・イトコなど、血縁の数が多いというだけでなく、親族として交流する範囲が広いという意味あいも含んでいる。それと同時に、そのしがらみからなかなか逃れられないという趣旨で使われることもある。カザフ人は一般に親族関係が緊密で、血縁や姻戚関係にある人びとのあいだの相互扶助は、民族の美徳としてとらえられている。しかし、そうした考え方はまた、彼ら自身を縛る重荷ともなっているのだ。

カザフ人は民族意識とともに、父系出自にもとづくルゥ（ru：氏族）への帰属意識を持っている。ルゥは、その内部でさらに複数の下位氏族に枝分かれしているが、一九三〇年代の強制的定住化（第1章三節を参照）以前には、最下位レベルの父系親族集団がしばしば共同で遊牧をおこなっていた。ソヴィエト政権はこうした親族関係を過去の遺物とみなし、社会主義的な集団農場に置き換えようとした。だが、ルゥは形を変えつつも現在まで絶えることなく存続し、カザフスタン独立後には、カザフ人のあいだで父方の系譜をたどる「ルーツ探し」がブームとなったほどである。また、実際には必ずしも厳密には守られていないものの、七世代前までの父祖の名を記憶することはカザフ人の義務であるとされている[4]。

このように父系出自が重視される一方で、母方の親族や姻戚、さらに結婚した子どもの親族などとのつき合いも大切にされている。出生、割礼、結婚、葬儀など、人生の節目となる儀礼には、これらの親族を必ず招待しなければならない。いいかえれば、招き招かれる行為が血縁集団の結びつきを強めていくのである[5]。都市と農村、地域によって若干の違いはあるが、こうした人生儀礼はしばしば盛大におこなわれ、参列者が数百人にのぼることもまれではない。冠婚葬祭に限らず、お客のもてなしと贈り物のやりとりを重視するカザフ社会では、それぞれの状況に応じた贈り物の複雑なカテゴリーが存在する[6]。こうした慣習は、日本の発達した贈答文化に通ずるところもあるかもしれない。

カザフ人は金品の贈与や貸し借り、就職の世話などが必要なとき、血縁の絆を頼りにして互いの生活を支え合ってきた。こうした相互扶助は、社会主義下の不足経済とソ連解体直後の混沌とした時期を生き抜くうえで大きな助けとなった。アメリカの政治学者エドワード・シャッツは、公式なルートでは入手困難な資源へのアクセスを可能にした親族ネットワークは、不足経済のもとでむしろ強化されたと指摘する。[7]

親族間の助け合いの慣習は、都市部を中心に生活水準が向上した現在も、なくなってはいない。平均的な現代日本人の感覚からすると、カザフ人の親戚づきあいの範囲はより広く、かつ濃厚だ。たとえば収入に余裕のある人が、きょうだいだけでなく甥や姪の分まで学費や結婚費用を負担する例は珍しくない。通学のため、あるいは長期休暇のあいだ、親戚の子どもを預かって自宅に住まわせることも、ごく自然におこなわれている。

ただし、こうした相互扶助のあり方が変化しつつあるのも事実だ。中央アジア諸国を対象とした人類学的研究によれば、市場改革が進められた一九九〇年代に、所得水準が大きく異なる親族同士の関係が疎遠になる傾向が強まった。[8] 貧富の差の拡大は、血縁によって結ばれた人びとのあいだにも亀裂を生んでいる。豊かになった人びとはより多くの資源を、経済的利益をもたらすネットワークの拡大のために使うようになった。他方、経済的に困窮した世帯のなかには、結婚式をはじめとするさまざまな人生儀礼への参加や、贈り物交換などのコストが負担できなくなり、親族づきあいの輪からこぼれ落ちてしまう人たちもいる。

緊密な親族関係は相互扶助の基盤となる一方で、ネポティズムを生む土壌ともなりかねない。「親族なら何をおいても助け合うのが当然だ」という価値観は、ともすると公私の区別をあいまいにさせる。家族や親族のために自分の地位を利用することが正当化され、周囲からも、職権を濫用してでも身内を優遇するよう圧力が働くからだ。公務員の腐敗に批判的な人も、親族に公務員がいれば口利きを頼む。日常会話に登場する用語「アガシュカ」（第4章四節を参照）は、個人的なコネで物事を解決できる人物を指し、しばしば公職を私物化する役人を揶揄して使われるが、この言葉が男性親族を表わす語彙から発生していることも、血縁に頼る慣習が社会に根づいていることを示しているといえよう。

とはいえ、親族優先はある程度仕方がない、と考えがちなカザフ人も、あまりに露骨な縁故主義や身内びいきには強い怒りを表明する。政府高官などの有力者を親や親戚に持つ若者が、経験や実績に乏しいにもかかわらず重要な役職に就いたり、重大な罪を犯しても実刑を逃れたりするケースは、ときおりSNSなどで話題になっている。そうした「特権階級」に対する庶民の目は厳しく、かつ冷ややかだ。

生活上のセーフティーネットとして機能する一方、ネポティズムを生む土壌ともなりうる親族の絆は、良きにつけ悪しきにつけ、カザフ人社会を構成する重要な要素であることは間違いない。しかし、カザフ人がつねに親族を頼りにしているかというと、必ずしもそうではない。つぎに、この点についてみてみよう。

親族より他人

アメリカの政治学者ケリー・マックマンの『最終手段としての腐敗』は、カザフスタン、ウズベキスタン、およびキルギス共和国の腐敗をとりあげた意欲的な研究である[9]。マックマンは、これらの国々で贈収賄が蔓延しているのは、計画経済と決別したのちも市場を十分に機能させる諸制度が育たず、生活に不可欠なリソースが不足したためだ、と論じた。そのうえで、豊かな親族に頼ることができない人びとにとっては、贈賄がモノやサービスを入手する唯一の手段なのだ、と結論づけている。

腐敗撲滅の処方箋として導入された市場経済が、旧社会主義国においてはむしろ腐敗を悪化させたという、マックマンの指摘は的を射ている。これらの国々では、私有化のプロセスが不透明で、国有資産の事実上の横領や私物化が横行した。ソ連時代の企業幹部や党・国家エリートなどが、その地位や人脈、インサイダー情報を利用して短期間で莫大な資産を築いた一方で、大多数の庶民は私有化の恩恵にあずかることはなかったのである[10]。

しかし、人びとが贈賄に手を染めるのは親族からの援助が期待できないからだ、というマックマンの説明は、単純化された見方だといわざるをえない。少なくともカザフスタンでは、賄賂を使うのは有力な血縁ネットワークを持たない人たちだけではない。非公式な金銭のやりとりにおいては、親族を含むさまざまなコネが積極的に使われている。むしろ強いコネを持っている人ほど、カネを効果的に使うことができるのだ。

人びとは「アキマト（地方行政府）に親族がいると、とても便利だ」と口をそろえる。これは単に、その親族に問題を解決してもらえる、ということのみを意味しているわけではない。むしろ彼あるいは彼女を通じて、公職にある別の人物に口利きを頼めることが重要なのだ。日常生活や社会生活を送るうえで直面する問題は、多岐にわたっている。教育、医療、住宅、納税、警察、司法など、すべての分野に人脈を持つのはほとんど不可能だ。親族に限らないが、強力なコネは仲介、すなわち特定の問題について決定権を持つ人物へのアクセスの提供において、とりわけ効果を発揮するのである。そして、その場合に「仲介料」は発生しないものの、通常、実際に問題を解決した人物に対する「謝礼」は必要になる（図2－1を参照）。

また、あえて親族を避ける判断をすることも少なくない。身内に頼らず自分でやったほうがいい、と主張する人は、その理由を「借りをつくりたくないから」「義務を負いたくないから」と説明する。仲介を含め、親族に何かを頼んだら、いつか必ずそのお返しをしなければならない。将来、相手から頼みごとをされたら、断るわけにはいかないのだ。そうした返礼の義務をうとましく思う人は、カネで解決することを好む。身内に借りをつくらないために、あえて遠い知り合いのつてを頼り、カネで目的を達成するのである。このような「現金精算方式」を親族に対して用いるのは難しいからこそ、他人に頼ることになる。

ただし、非常に深刻な問題に直面したときは別だ。ためらわずに親族を頼るケースとしては、トラブルや犯罪に巻き込まれて裁判沙汰になった場合や、病気やけがで手術が必要になった場合などをあげる人は多い。いつ、どんなコネを使うのかは、あくまで状況しだいなのである。

民族による違い

血縁・姻戚を重視するカザフ人に比べると、ロシア人やウクライナ人などスラヴ系民族のあいだでは、より個人主義的な傾向が強く、親族関係はやや希薄である。もちろん個人差や、都市と農村のライフスタイルの違いもあるが、このような民族間の相違点は彼ら自身が認識していることでもある。とくに、親戚づきあいについてロシア人に聞くと、自分たちに比べてカザフ人は親族が多く、助け合いの精神が発達している、と答える人がほとんどだ。

親族間の相互扶助という場合、金品の贈与や貸し借りなどの当事者間のやりとりは、あくまで私的な領域にとどまっている。必要な援助が受けられるか否かは個人の生活に大きな影響を与えるかもしれないが、第三者には無関係である。しかし、公私の区別が必ずしも明確でないカザフスタンでは、親族のための口利きも、しばしば「人助け」として肯定的にとらえられがちだ。公的資源の配分に親族という要素が入り込むと、ネポティズムにつながる。これは社会の公平性にかかわる問題である。

公的機関に親族を通じてアクセスできるか否か。この点から考えれば、カザフ人のほうが非カザフ人よりも全体として優位な立場にあるといえるだろう。なぜなら、強固な親族ネットワークに加え、公的機関においてはカザフ人が多数派を占めているからである。そもそも、独立時にロシア人と拮抗していたカザフ人の人口は、いまでは全体の三分の二に達しているが、公務員に占めるカザフ人の割合はそれを上回るとみられている（この問題は第3章三節で、あらためてとりあげる）。

では、カザフ人ほど親族ネットワークに頼ることができない人たちは、日々の生活や仕事上で不便さを感じているのだろうか。この点について、ロシア人などの非カザフ人に尋ねると「もちろん大変だ」という答えがしばしば返ってくるが、「カネさえあればなんとかなる」「コネよりカネが重要だから、民族はあまり関係ない」という人もいる。少数民族としての疎外感を感じつつも、非公式な問題解決に関しては、不利な立場にあるとは必ずしも考えていないロシア人も少なくないのである。

それはなぜか。ひとつには彼ら自身がいうように、実際にカネで解決できることも多いからだろう。問題に対処してくれる人物にアクセスするのに手間がかかるかもしれないが、仲介者を見つけることは不可能ではない。仲介者や、最終的に問題を解決してくれた人物に対し、より多くの「謝礼」が必要になる可能性があるが、それらが信用に足る人物なのであれば、親族を通じて頼むよりもビジネスライクに事が運ぶかもしれない。また、非公式な問題解決に役立つのは親族の絆だけではない。友人・知人や同僚、隣人を通じて、しかるべき人物につながることも可能だ。

親族にどの程度頼るかは民族によって違いはあるものの、カザフスタンの人びとのカネやコネの使い方には、どの民族にも共通する特徴がある。それはどのようなものか、以下の各章では、分野ごとにより詳しく検討してみよう。

第3章　治安組織と司法の腐敗

一　警察とのつき合い方

治安機関

「警察」という言葉から連想するのは、どんなイメージだろうか。交番に連れてこられた迷子をやさしく慰めるお巡りさん、危険を顧みず凶悪事件の犯人を追う熱血刑事、あるいは取調室で容疑者に自供を迫るキレ者の捜査官を思い浮かべる人もいるかもしれない。日本でこうしたステレオタイプが定着したのは、テレビドラマの影響だろう。日常生活では、一般人が警察とかかわりを持つ機会はそれほど多くない。

カザフスタンにおける警察のイメージは、これとはかなり異なっている。警官はしばしば、法の遵守や治安維持ではなく私腹を肥やすために働いているのだ、と思われている。実際のところ、違反や犯罪のでっち上げによるゆすりがおこなわれているのは周知の事実だ。他方で、正規の罰金を払うよりカネも時間も節約できるという理由で、自分から賄賂を渡す人も少なくない。ゆすりと自発的な贈賄をはっきり区別することは難しいが、違反の見逃しや処罰の軽減など、一般市民の側も何らかの利益を得ているのである。また、腐敗した警察は庶民の批判の対象だが、就職先としては魅力がある。安定した給料や福利厚生に加え、「副収入」が期待できるからだ。

人びとはなぜ、どのようなときに警官に賄賂を払うのか。警官が収賄行為に走る背景にあるものはなにか。これらの問いが本章の中心的なテーマだが、その前に、カザフスタンの治安機関について簡単に説明しておこう。

カザフスタンの警察機構は刑事警察、行政警察、移民警察からなり、行政区域ごとに、内務省の出先機関である内務局の管轄下に置かれている。一般市民がもっとも頻繁に見かけるのは、路上でパトロールをする警官だろう。ソ連時代の交通警察（ＧＡＩ）は、名称を変更しつつカザフスタン独立後も残されていたが、二〇一三年五月、治安警察とともに行政警察に統合された。しかし、市民はいまでも旧交通警察を「ガイ」と呼んでいる。移民警察は自国民、外国人を問わず、国内外の移動と居住実態を管理するのが主な仕事だ。

腐敗取り締まりを担当する国家機関は、頻繁な組織上の変更を経て、二〇一九年六月現在、腐敗防止庁がその任務にあたっている。ただし日常会話では、旧称である「財務警察」がしばしば使われる。このように名称や組織形態がしばしば変更されているため、本章では便宜上、「交通警察」「財務警察」を用いることにする。日本でも知られているソ連の政治警察、国家保安委員会（ＫＧＢ）の系譜を引くのが、大統領直属の国家保安委員会（ＫＮＢ）である。治安維持を担当するこれらの組織は、検察とともに「法執行機関」と総称されるが、日常会話では「機関」（organy）がよく使われる。

交通警察との交渉

カザフスタンの都市部では、道端で人が片手をやや下向きに突き出している光景をよくみかける。タクシーを止めようとしているのだ。とはいっても、その大半は正式な認可を受けていない「白タク」である。小遣い稼ぎが目的のドライバーもいるが、本業にしている人も少なくない。

二〇一一年、師走半ばのある日のこと。当時アルマトゥに滞在していた筆者は、自宅周辺で白タクに乗り込んだ。一二月一六日の独立記念日を間近に控え、いつもより多めの警官が路上でパトロールをおこなっていた。式典に備えた警備かな、と運転手に話しかけると、おどけた調子で返された。「彼らだって、新年を迎えるにはなにかとお金がいるからね」。

同じころ、やはり白タクでインタビュー先に向かう途中、道を一本間違えたことに気づいた運転手が、車道の真ん中で方向転換をした。以前、知人がそれで交通警察にとがめられたことがあったので、大丈夫かと聞くと、彼はニヤッと笑い「きょうだいが交通警察で働いているんだ」という。

交通警察の取り締まりが賄賂目的だというのは、一般市民のあいだでは常識だ。あきらかな交通規則違反、免許証などの必要書類の不携帯、自動車保険の期限切れなどがあればもちろんだが、ほんのわずかなスピード超過や青信号ギリギリの走行なども、処罰の理由になりうる。ただし全体としてドライバーのマナーは悪く、取り締まりの効果はあまりなさそうだが。

交通警察に賄賂を払った人の多くが、軽微なものを含め自分の違反行為を認めているが、ドライバーに落ち度がなくても恣意的な取り締まりの対象となることもある。そうした場合にドライバーの側が身の潔白を証明するのは難しい。

正規の罰金のほうが高くつく、手続きが煩雑で時間がかかる、免許を没収されたら不便、などの理由で、大半の人は賄賂を払うことを選ぶ。他方、警察に強いコネがあれば怖いものなしだ。警官に難癖をつけられたり、自分がルール違反をしたりしても、電話一本で見逃してもらえるからである。

交通警察とのやりとりを語ってくれた人は実に多いが、彼らが共通して指摘するのが、警官に対する接し方や話し合いの重要性である。罰則を回避しつつ、賄賂の金額を最小限に抑えることができるかどうかは、カネを渡す側のコミュニケーション能力に多くを負っている。車の運転中に遭遇する警官は、ほとんどの場合、初対面だ。よく知らない相手の心情を読み取り、好印象を与えることができるかが、交渉の成否を左右するのである。

タクシー運転手をしている五十代の男性は、仕事柄、よく交通警察にカネを要求される。彼はあるとき、三万七〇〇〇テンゲ（二〇〇ドル）の罰金を科されそうになったが、うまく交渉して一万五〇〇〇テンゲにまけてもらった。違反の事実そのものは取り消せなかったため、その内容が実際よりも軽微だったことにしたのである。減額と引き換えに、運転手は袖の下として警官に三〇〇〇テン

職務質問する交通警察（アルマトゥ）［V. Zaikin 撮影］

ゲを渡した。それでも総額は一万八〇〇〇テンゲだから、当初の罰金よりはずっと少なくて済む。

公式な罰金同様、賄賂の相場も違反の重さにおおむね比例する。しかし、実際にいくら支払うことになるかは警察との交渉しだいだ。相手と話し合う能力がなければ、より多く払う羽目になるし、最悪の場合には高額な罰金を科されたうえに、車を違反者用の駐車場に持っていかれ、免許をとりあげられてしまうこともある。だから決して声を荒げたり、相手を怒らせるようなことを言ったりしてはならない。

警官のほうも、意外と人情に厚いようだ。学生に「学割」を適用したり、妙齢の女性は「こんどから気をつけな」と言って見逃したりすることもある。「手持ちの現金はこれしかないんです」と言って二〇〇〇テンゲ札を渡したら、一〇〇〇テンゲの「お釣り」が返ってきた、という人もいた。「デートに急いでいるんだ、今日、プロポーズするんだよ」とか、「私、いま妊娠七か月なんです。気分が悪くて……流産したらどうしよう」などと一芝居うって、袖の下の要求をかわしたという自慢話を披露されたこともある。

筆者が話を聞いたなかでいちばんのつわものは、転んでもタダでは起きなかった四十代の女性だ。彼女は、パトカーのフロアマットの下に二〇〇〇テンゲ（一一ドル）入れろと警官に命じられた。それには従ったが、代わりにそこにあった五〇〇〇テンゲ札をちゃっかりくすねたのだそうだ。

運転免許証の入手方法

警官が賄賂を要求するのは、交通規則違反に対してだけではない。免許の取得や更新、車両登録なども、しばしば贈収賄の温床となっている。免許を取るには自動車教習所に通い、筆記と実技の試験を受けるのが公式なやり方だ。しかし実際には、賄賂を払って試験にパスした、試験会場にすら行かずに免許証そのものを買った、あるいはコネを使って入手したなど、さまざまなパターンが存在する。

二〇一七年三月、二人の若い女性がインスタグラムに投稿した写真が物議を醸した。カネやコネで免許証を手に入れたことを得意げに公言したからだ。

最初に注目を集めたのは、アイゲリムという名の女性。車の座席に座り、免許証を左手で持って正面から撮影している。長く伸ばした爪にはピンクのマニキュア。写真の下には絵文字混じりで、無邪気にこう書いてあった。

「免許証を買ってもらっちゃった。やったー（拍手）。パパ、ありがとう♡♡♡」。

困ったのは父親だ。娘の姓名、生年月日、顔写真が知られてしまったため、釈明を迫られたのである。彼は、娘のコメントは免許取得にかかった費用を親に負担してもらったという意味だ、と弁解した。免許証を発行した内務省も、アイゲリムが受験した事実を確認したと公表し、火消しに努めた。

するとまもなく、別の女性がインスタグラムに投稿。彼女は同じく免許証の写真に絵文字満載の文章を添えているが、アイゲリムと異なるのは、それをコネで手に入れたことを自慢している点だ。

「こんなに早くもらえるなんて思わなかった（驚）。コネは万能」。

この二人の女性がどうやって免許を取得したのか、本当のところはわからない。しかし、アイゲリムの父親や内務省の説明を信じる人はほとんどいないだろう。彼女たちの投稿が話題になったのは、行為が珍しいからではない。みんなが知りつつも黙っていることを、実名入りで不特定多数に公言した、その浅はかさと無防備さゆえである。

ここで、実際に免許をカネで手に入れた人の証言を紹介しよう。

成人した一人息子と暮らす女性は、自分も息子も、教習所のスタッフにカネを渡して試験をパスした。彼らは裏で警察と通じているのだ。「最初はちょこちょこっと（キーボードを）叩いた」が、あとは試験監督が代理入力してくれた。監督は全員のところをみて回るが、お金を払った人にだけ回答を教えてくれる。

二十代の女性アレクサンドラも、試験会場で指定されたコンピュータの前に着席し、適当に答えを入力しただけで合格した。夫が正式に免許を取ろうとして何度も落第させられ、結局カネを払うことになったので、自分は交通警察にコネがある同僚を通じ、事前に賄賂を渡していたのである。試験が終わると、監督が別の若い女性に「君はもう三回も受験しているのに、また落第だね。アレクサンドラみたいにちゃんと準備したほうがいいんじゃないか？」と言い放ったという。

賄賂を払った人たちの言い分はこうだ。合格するのに必要な知識や運転技術があっても、カネを渡さなければ筆記試験の解答を操作され、実技でのごく些細な運転ミスを理由に、何度やっても不合格にされる。そのたびに受験料を払って試験を受けなおすよりも、賄賂を払ったほうが、結局、お金や時間の節約になる。それに、教習所の授業料も馬鹿にならない。

親戚の口利きで免許証を手に入れたという筆者の知人は、試験会場に行ったものの、コンピュータの前で座っていただけだったという。また別の知人は、頼んでもいないのに、警官の友人が「誕生日プレゼントだよ」といって免許証をくれたとか。運転免許証は、あたかも警察が自由に販売・譲渡できる商品のように扱われているのだ。

ただし何度落第させられようと、最終的には自力で試験に合格する人もいる。また、子どもに免許を買うようねだられても、はねつける親もいる。そうした親たちは必ずしも贈賄すべてに反対しているわけではないが、「子どもにとっていい経験だから」「きちんと運転できなければ人をけがさせてしまうから」などの理由で、あえて試験を受けさせたという。どれだけ贈収賄が蔓延していても、人にはそれぞれ、譲れない一線があるのだろう。

移民警察

出入国管理や外国人登録をおこなう移民警察。外国人は手続きを誰かに代行してもらわない限り、必ずかかわりを持つことになる機関である。

あるグラフィックデザイナーの女性は、長年アルマトゥに住んでいるが、国籍はロシアだ。定住外国人は居住許可証の定期的な更新を求められる。彼女が証明写真を提出したところ、窓口で「切り方が間違ってる、〇・五ミリ長さが足りない」といちゃもんをつけられたうえ、「いまランチタイムだから、ペリメニ（ロシア風ぎょうざ）を二袋買ってきて」と頼まれた。その次の更新では、携帯電話の通話料のチャージを求められたという。

この女性のケースは露骨なゆすりだが、申請者のほうから「謝礼」を申し出ることも少なくない。手続きがしばしば煩雑で時間がかかり、イライラさせられるからだ。

筆者自身、カザフスタンで外国人登録にてこずったことがある。当時のルールでは、日本国籍なら、空路の場合、入国後九〇日間は移民警察での登録は不要だ。これは短期滞在者にはありがたい制度だが、長期滞在の場合はむしろ災いした。当面は登録不要だからという理由で、担当者に門前払いされてしまったのである。しかし居住地登録をしないと納税者登録番号が取得できず、その番号がないと銀行口座が開設できない。

移民警察に行ってみると、申請受付窓口の前には長蛇の列ができており、誰が最後なのかもよくわからない。とりあえず並んで、ようやく順番が来たので、顔がやっと見えるくらいの小さな窓口の向こうにいる担当者に質問したが、「日本人？　三か月後に来な」の一点張り。大勢の申請者でごった返すなか、事情を聴いてもらうことはまず不可能だった。困り果てていたところを助けてくれたのが、元内務省職員の知人だ。彼女は電話一本で昔の同僚たちに話をつけ、警察にも同行してくれた。そのおかげで、待ち時間なしでスムーズに手続きが終了したのである。非公式なルートを使いたくなる庶民の気持ちが、よくわかるというものだ。

在住外国人のなかでも、より不安定な立場に置かれているのが出稼ぎ労働者である。カザフスタンへは、多くの労働者が近隣の中央アジア諸国などから仕事を求めてやってくる。その数は推定一〇〇万人超ともいわれるが、ほとんどが独立国家共同体（ＣＩＳ）加盟国間の査証免除制度を利用しつつ、観光や親族訪問の名目で入国し、非公式に就業している。警察はしばしばこれを黙認、あるいは事実上庇護する代わりに、賄賂を徴収しているのである[1]。

カザフスタン国民の場合、移民警察との接点のひとつは居住地登録である。教育や医療などの公共サービスは、基本的に登録した住所にもとづいて提供されるが[2]、別の地区にある学校やクリニックを利用したい人たちもいる。そういうときには、他人にカネを払ってその人の住所に登録させてもらうという方法がしばしば使われる[3]。

居住地登録は移民警察の管轄だが、窓口は「住民サービスセンター」（ＴｓＯＮ）となっている。このセンターが二〇〇七年に設立された目的のひとつは、各種の住民サービスをワンストップでおこなうことを可能にし、役人の収賄機会を減らすことにあった。ＴｓＯＮができて便利になったという肯定的評価はたしかにある。しかしここでも結局、カネを渡して手続きを早めることがおこなわれている、との証言も多い。

二　買われる正義

自由の身もカネしだい

外国人のインタビューに応じてくれる一般の人を探すのは、そう簡単ではない。コネや賄賂といったセンシティブな話題であればなおさらだ。筆者は面談の約束をとりつけるため、社会調査の経験がある方々にお世話になった。なかでも、いちばん多くのインフォーマントを紹介してくれたのがレイラだ。彼女は筆者と同世代の女性で、調査会社から仕事を請け負い不定期の収入を得ていた。自身は独身だが、多くのカザフ人がそうしているように、きょうだいやいとこ、その配偶者と子どもからなる親族ネットワークのなかで暮らしている。

レイラは打ち合わせの合間に自分の体験を話してくれた。いとこの女性を自家用車でひき殺した男が不起訴となり、加害者の贈賄を強く疑っていること。姉がアパートを購入しようとして詐欺に遭い六万五〇〇〇ドルを失ったが、何の捜査もおこなわれなかったこと。レイラは力説する。学校や病院での賄賂は時間の節約になるし、イライラも減るからむしろ有益なこともある。だが、警察と検察の腐敗は違う。本当に調査すべきはそこだ、と。

彼女が言いたかったのは、軽微な交通違反の見逃しや運転免許証の不正入手のことではない。重大な罪を犯しても罰を受けることもなく、大手を振って歩いている人間がいるという不正義に怒っているのだ。問題は警察や検察の不作為だけではない。彼らは犯罪をでっちあげることもできる。だからレイラは、警察こそが「ギャング」なのだという。

カザフスタンでは恣意的な捜査や判決によって、法の支配がしばしばゆがめられている。警察や検察が賄賂を受け取って犯罪をもみ消すのは、決して珍しいことではない。公正公平であるべき裁判所も同様だ。強いコネがあれば、あるいはそれなりの金額を払えば、裁判官は執行猶予を付けたり、刑期を短くしてくれたりする。

こうした現状は、自分自身や親族が罪を犯してしまった場合には好都合でもある。うまく立ち回れば、処罰を逃れることができるからだ。実際に、身内が事件を起こしたり、トラブルに巻き込まれたりすると、配偶者や親きょうだいはもちろん親戚一同が協力し、借金をしてでも刑務所行きを回避したり、そこから出そうとしたりする。

ある会社員の女性は、軍人養成大学に通っていたいとこが卒業間際に恐喝罪で逮捕され、軍の刑務所に収容されたが、親族が四万ドルをかき集めたおかげで自由の身になった。別の女子学生が話してくれた例は、より深刻だ。銀行強盗の罪で一一年の実刑を言い渡された親族男性のため、周囲が金策に奔走したがなかなか必要額にとどかず、「マフィアの助けも借りて」減刑には成功したものの、その男性は六年ほど服役した。もちろんコネも有効である。ある主婦は、夫が友人と殴り合いの喧嘩をし、傷害罪で逮捕された。刑務所に入りたくなければ四〇〇〇ドルを払えと警察に言われたが、幹部と懇意にしていた姑が交渉したおかげで、結局、カネを払わずに釈放してもらえたという。

実刑を逃れるためにカネやコネに頼った場合でも、当事者の話を聞く限り、冤罪が疑われるケースもある。レイラと同じように、社会調査のアルバイトをしている女性が話してくれた事例がまさにそれだ。事の発端は、彼女の兄が元同級生の呼び出しに応じたことにある。その同級生には窃盗罪で逮捕状が出されていたのだが、何も知らずに行動を共にした兄は、その共犯者にされてしまった。兄と連絡がついたときには、同級生はすでに行方不明になっていたという。身内に罪が押しつけられるのを恐れた親族は、警官である彼女のオジを通じて二万ドルを警察に渡した。

自由や有利な判決がカネで買えるということは、自分と利益が相反する相手にもそれが可能だということである。したがって、自分や家族がやってもいない犯罪で他人に訴えられたり、自分たちに損害をもたらした加害者が無罪放免になるなど、法執行機関から不当な扱いを受けるリスクもある。法に照らして、どちらに理があるのかではなく、より多くの賄賂を払った側、より強いコネを持っていた者が有利になりかねない。

共犯者が巨額の賄賂を支払ったために窮地に陥った経験を語ってくれたのは、小さな不動産会社に勤務するマリヤだ。彼女は病気で働けない夫と、社会人になった一人息子と暮らしている。その控えめな物腰と語り口からはとても想像できないが、詐欺罪で実刑を求刑されたことがあるという。

マリヤは友人と事業を立ち上げるため、銀行から数千ドルを借りようとした。彼女の過ちは、そのために必要な書類をごまかしたことだ。公文書の偽造を請け負う会社に頼んで、うまく資金を得ることができたら、そこから謝礼を払うことになっていた。しかし銀行で偽造が発覚し、マリヤたちは財務警察に連行された。警察から捜査への協力を求められ、彼女たちは約束どおり謝礼を渡し、社員は現行犯逮捕された。ところが、彼らが警察に一人あたり一万ドルもの賄賂を払ったため、マリヤと友人だけが起訴され、五年の実刑を求刑されたのである。すると、こんどは裁判官が弁護士経由で、二五〇〇ドルずつ払えば減刑してやると言ってきた。その取り引きに応じたマリヤたちは結局、執行猶予三年の刑を言い渡された。

カネで問題を解決できるのは警察も裁判所も同じだが、コスト面からいえば、警察沙汰になった時点で処理したほうが安く済む。書類をねつ造した社員たちが警察に払った賄賂は、マリヤたちが裁判所に払ったものよりも高額であった。しかしマリヤがすぐに警察にカネを渡していれば、彼女自身のトラブル処理はもっと安く、簡単に済んだはずなのだ。起訴後に借金の相談をした友人には、「どうしてすぐに電話くれなかったの？　私に知り合いの法律家がいるのを知ってるでしょう」と叱られたそうだ。

法律家の証言

二〇一一年四月、カザフスタンの司法制度への信頼を揺るがす大スキャンダルが巻き起こった。最高裁判所の裁判官六名が、職権濫用と数十万ドルにのぼる収賄を理由に更迭され、刑事告訴されたのである。裁判官らは特定の個人に有利な判決を下したり、取り調べに介入したり、私企業の脱税を黙認するなど、数々の違法行為をおこなっていたという[4]。

この事件から間もない二〇一一年八月、筆者は著名な法律コンサルタントのセルゲイ・ウトキン氏に話を聞くことができた。ウトキン氏は法律事務所を経営する傍ら、法律知識の普及や市民の権利擁護など、その精力的な活動で知られている。なかでも二〇〇六年、アルマトゥ市当局が右ハンドル車（現地では日本車とほぼ同義である）の輸入と利用を禁止しようとしたとき、ドライバーの権利を侵害しているとして反対運動を展開し、一躍知名度を上げた[5]。

余談だが、カザフスタンでインタビューの約束をとりつけるのはなかなか骨が折れる。比較的気軽に会ってはもらえるものの、個人の場合、具体的な日時は近くなってから相談しよう、と言われることが多く、直前の予定変更やドタキャンも珍しくない。しかしウトキン氏に電話で面会を依頼すると、すぐに一週間ほど先の日時を指定された。インタビューも効率重視で、すぐに質問に入るよう促す。そして話の内容も率直だった。

控えめに言っても、全体の九割の裁判官の目的はカネ儲けです。決まった給料をもらって社会のために働くのではなく、ビジネスのように訴訟でカネを稼ぐ。だから、大金を手にすることのできない、うまみのない訴訟は適当に済ませてしまう。これは彼らが悪い裁判官だからではなく、人間とはそういうものなのです。一〇回、二〇回と賄賂を受け取ってしまったら、そんな裁判官を変えるのはとても難しい。

ウトキン氏は、腐敗は個々の裁判官の問題ではなく、「システムが収賄を強制する」のだと強調する。司法界全体が「金儲けのためのビジネス団体」と化しているときに、一人でそれに抗うのは非常に困難だ。収賄という暗黙のルールに従っている人たちは、それを破る仲間のせいで自分たちが悪者にされるのを嫌い、排除しようとする。

裁判所の長官にとっても、自分の命令に背くような裁判官は都合が悪い。ウトキン氏によれば、カザフスタンでは有利な判決を得るために、仲介者を通して長官にカネを渡すことが多く、弁護士もこうした「仲介業」にしばしば携わっている。裁判官は人事権を握る長官の指示には逆らえない。

二〇一一年春に起きた前代未聞の最高裁汚職事件も、司法制度改革には必ずしもつながらなかった。発覚直後こそ、最高裁では誰もカネを受け取らないらしいと噂されたが、州や地区レベルの裁判所はそれまでとまったく変わっていないし、腐敗の構造的要因を探り、それを根絶するような取り組みがおこなわれているようには見えない、というのがウトキン氏の見解である。

皮肉なことに、双方がコネと財力で拮抗しているときには、公平な判決が下される。あるとき、超大物政治家の親族が法律相談に来た。遠縁とはいえ親族は親族だ。自分で問題を解決できるでしょう、と突き放そうとすると、訴訟相手も同じ政治家の親族だという。裁判長は悩んだすえ、法律に則って判決を下すことにしたため、この依頼人はウトキン氏を頼ってきたのである。ちなみに、この裁判官は一方から五〇〇〇ドル、もう一方からは七〇〇〇ドル受け取ったものの、どちらにも肩入れできなくなったので、多くくれたほうに二〇〇〇ドルを返金したという。

ウトキン氏は、司法システムの組織的腐敗が深刻化したのは独立以降だと指摘する。ソ連時代にも袖の下が使われることはあったものの、司法制度はより公正だった、というのが彼の評価である。

（ソ連崩壊後に）私が働きはじめたころは、まだ賄賂を受け取るなんて発想すらない、法に則って判決を下す裁判官たちがたくさんいました。少しは受け取った人もいたでしょうけれど、節度をわきまえていた。内心は恥ずべき行為だと考えていたんです。いまでは、それはまったくない。

ソ連時代には例外とされた収賄が、いまはむしろルールと化している。カザフスタン法曹界でその名を知られているヴィタリー・ヴォロノフ氏（第5章一節を参照）も、同意見だ。弁護士であるヴォロノフ氏のところには、クライアントが「お知り合いの裁判官はいませんか」と聞きにくる。裁判官と訴訟について非公式に交渉し、有利な判決を勝ち取るため、仲介者を探しているのだ。ヴォロノフ氏は、収賄に対する拒否感が失せただけでなく、「カネで問題を解決し、法律逃れをできる人がむしろ尊敬されている」と嘆息する。

ソ連時代といまの違いを生んだ要因はなにか。ウトキン氏とヴォロノフ氏が共通して指摘するのは、社会主義時代の教育が一般市民に植えつけた倫理観である。理想社会の建設という党のプロパガンダは、人びとに誠実な市民たることを要求した。また共産党は、コムソモール（共産主義青年同盟）などを通じて、青年や児童に社会のルールや秩序を学ばせた。資本主義化後のモラルの衰退の原因のひとつは、イデオロギーに支えられた価値観の喪失にある、というのだ。

このような考えは専門家に限らず、一般市民にもかなりの割合で共有されている。ソ連時代のほうが公正で、その崩壊以降、拝金主義的な傾向が強まったと考える人は多い。当時、子供だった世代でも、家庭でかつての暮らしぶりを聞かされるためか、こうした見方はある程度共有されている。彼らは、過去を美化しているにすぎないのだろうか。この点については、エピローグであらためて触れる。

三　兵役と青年

徴兵制度

秩序を維持し、国民の生命を守る。その目的や権限、活動領域などは違っても、警察と軍隊の任務には共通する部分もある。残念なことにカザフスタンでは、贈収賄の蔓延という点においても両者は似通っている。

カザフスタンは徴兵制を敷いており、兵役の対象となる若者とその家族にとって、軍隊に行くかどうかはキャリア選択にもかかわる重要なイシューである。だからこそ人びとは、カネとコネを駆使して望む結果を得ようとする。徴兵忌避は、徴兵制がある国なら珍しくない現象だが、カザフスタンでは兵役を回避するためだけでなく、軍隊に入るためにもしばしば賄賂が支払われている。

具体的な例を紹介する前に、カザフスタンの徴兵制度の概要を記しておこう。召集は毎年二回、一八〜二七歳の男子を対象におこなわれる。男子は一七歳になると、自分が住んでいる地区で登録をし、身体検査を受けなければならない。兵役に適しているか否かの決定は、副区長、地区軍事局（慣用として、ソ連時代からの旧称「軍事委員部」がよく使われる）、内務局、医師などから構成される徴兵委員会によって下される。つぎに、州レベルでも同様の審査がある。合格者に召集令状を出すのは州軍事局長である。

兵役の免除や延期を決定する際には、健康状態だけでなく学業や家庭事情も考慮される。中等・高等教育機関で学ぶ生徒・学生（通信教育を除く）は、兵役の延期を認められている。在籍する大学に軍講座がある場合は、そこで軍事教育を受ければ兵役に代えることができる。また、ひとり親、介護や養育が必要な親族（配偶者、親、祖父母、きょうだいなど）がいて、他に面倒を見る人がいない場合なども、延期を許可される[6]。

兵役を終えると、その内容を記録した「軍人手帳」を受け取ることができる。詳しくは後で述べるが、公務員になるには軍人手帳の取得が必須なので、それが兵役に就く強いインセンティブとして働いている。軍人手帳は、身体検査で「不適格」とされた者にも発行されるが、その場合は診断結果が記載され、公的機関への就職は制限される。ちなみに、不適格者用の手帳は慣用で「白い手帳」と呼ばれているが、実際には軍人手帳の表紙はすべて青色だ。

徴兵制度そのものも時代とともに変化している。カザフスタンでは、契約にもとづく職業軍人の割合が増加する一方で、二〇〇六年初には、義務年限内の兵役期間が二年から一年に短縮された。国防省幹部によれば、二〇一七年の時点で契約兵が全体の七割を占めているという[7]。二〇一三年には有料の軍事教育コースが新設され、三五日間で軍人手帳を受け取ることも可能になった。これは学業などの理由で、兵役に就くのが遅くなってしまった二四~二七歳の若者を対象としている。二〇一七年七月四日付の『カラヴァン』紙によれば、短期間で軍人手帳が手に入るこのコースは大人気で、地区軍事局に希望者が殺到しているという[8]。「金持ちの師弟への優遇策だ」との批判もあるが、利用者は必ずしも富裕層とは限らない。軍人手帳がなければ就職に不利だからと、出費を惜しまない親も多い。ちなみに、二〇一八年時点の授業料は二六万三〇〇〇テンゲ（七八〇ドル）である。

兵役に対する考え方

ロシア人や他の（カザフ人以外の）民族は、息子を軍隊に行かせたくないんですよ。そうしたら半年とか三か月後、棺に入って戻ってくるって、テレビのニュースでやってるでしょう。実際に、下級兵への暴行はありますよ。彼らは少数民族だから、そういうのを恐れているんです。息子を兵役に就かせないためなら、カネは惜しまない。でもわれわれ（カザフ人）は、息子には軍人手帳を手に入れて、公務員になってもらいたいんです。

こう話すのは、運転手として働く中年男性だ。彼の語りは、兵役に対する民族間の態度の違いを端的に表わしている。

兵役やキャリア形成に関する考え方は、人それぞれだ。軍隊に行って規律を身に付けたいという若者もいれば、厳しい訓練はごめんだとか、兵役よりも有意義なことをしたい、という人もいる。カザフスタンでは良心的兵役拒否はほとんど話題にならないが、宗教的あるいは政治的な理由から兵役を拒む人もいるだろう。

とはいえ、住む地域や民族によって一定の傾向が観察されるのもたしかだ。軍隊には行きたくない、あるいは子どもを行かせたくないと考える人は、都市部の住民と、スラヴ系など非カザフ人に多い。親がもっとも心配するのは新兵へのいじめや暴力である。兵役は時間の無駄だという考えも、都市住民に比較的多い。これに対して農村部では、兵役はおおむね肯定的にとらえられている。安定した就職先が限られる地方では、定職に就けずにいる若者も少なくない。親にしてみれば、息子が仕事もせずぶらぶらしているくらいなら、三食付きの軍隊で鍛えてもらおう、というわけだ。

さらに都市・農村を問わず、将来のキャリアのためには兵役を済ませておいたほうがいい、という考えも広まっている。公的機関で働くには軍人手帳が不可欠だからである。一口に公務員といっても職種や待遇はさまざまで、とくに就職したての若い職員の給与は決して高くはない。しかし、民間企業に比べてその地位が比較的安定していることや、住宅や年金などの社会保障がより充実していることから、就職先として一定の人気がある。また、民間企業の警備員になるにも軍人手帳が必要になる。兵役に就かなかった若者が、企業から健康状態に問題があると判断され、就職の際に不利になることもあるという。

ただし、公務員志向の強さや軍隊に対する態度は、民族間で異なっている。もちろん個人差はあるが、カザフ人のほうが公的機関への就職を目指す傾向が強く、兵役に対する拒否感は弱い。その背景にあるのが、国民としてのアイデンティティの違いである。

カザフスタンは独立後、一貫して多民族国家であることを謳い、さまざまな文化や宗教を持つ民族の平和的共存を国内外にアピールしてきた。憲法でカザフ語を国家語と規定したものの、バルト諸国のように、その習得を国籍付与の条件とはしなかった。しかし、ソ連解体を受けて独立したカザフスタンが「カザフ人の国家」という性格を帯びるのは、当然の帰結でもあった。非カザフ人、とくにソ連全体でみれば多数派だったロシア系の人びとは、もともとカザフスタンへの帰属意識が薄かったが、「カザフ化」が進めば進むほど、自分たちも国家を構成する平等なメンバーだ、という意識を持ちにくくなる。(9)

また非カザフ人のあいだでは、公的機関への就職でカザフ人が優遇されている、という考えも根強い。ロシア人の公務員志向が比較的弱いのは、ほかにもっと稼ぎのいい仕事があるからとか、いつかロシアに移住するかもしれない、という理由のほかに、自分の民族的バックグラウンドではそもそも不利だ、というあきらめもある。実際に、公務員に占めるカザフ人の割合はその全人口比よりも高い、との指摘もある。ただし、こうした民族構成の偏りが、民族による就職先の選好の違いなのか、それとも採用する側のバイアスによるものなのか、判断することは難しい。

入隊か、兵役忌避か

アルマトゥ在住のウクライナ人女性は、二十代の息子二人を持つ母親だ。長男は大学に進学したが、その学費が家計を圧迫していることを知る次男は、志願して軍隊に行った。背が高く恰幅が良かったからか、彼は共和国親衛隊員に選ばれた。親衛隊はエリート部隊なので、周囲からは当然のように、カネで入隊したのだろうと思われていた。実際には一銭も払っていないのだが、この女性は「いくら払ったの？」とよく聞かれたという。

兵役がらみの贈賄は珍しいことではなく、むしろ「常識」に近い行為である。特筆すべきは、兵役を回避するためだけでなく入隊するためにも、しばしばカネとコネが使われるということだ。

兵役回避を目的とした贈賄には二つのパターンがある。ひとつは、軍歴を詐称するケースだ。子ども向け遊具施設で働くカザフ人青年は、四万テンゲ（二二〇ドル）で軍人手帳を買った。兄弟の知り合いが「機関」に勤務していたため、その人物を通じて話をつけたのである。手帳には身体検査に合格し、実際に兵役を終えた、と記載されている。この男性は当初、入隊を希望していたが事情によりかなわず、その後、年齢を重ねるうちに行く気が失せてしまい、入隊時の徴兵年齢を超過した二七歳になってから手帳を購入した。ただし、必ずしも公務員を目指しているわけではなく、警備員になるか、韓国に出稼ぎに行きたいと思っている。

あえて健康に問題があることにして、兵役を避ける場合もある。二二歳の息子を持つロシア人女性は、三〇〇〇ドルで不適格者用の軍人手帳を入手することにした。彼女のいとこの息子が「白い手帳」を買い、その彼が、軍事局で働いている知り合いを紹介してくれたのだという。このロシア人女性は、適格者用の軍人手帳を持っていてもいいキャリアを築くことができるとも限らない、だから「白い手帳」で十分だ、と言う[10]。

他方、賄賂を使ってでも息子を兵役につかせようとする親もいる。アルマトゥ近郊の町では、自分や親戚が二〇〇〜五〇〇〇ドル程度を払って息子を入隊させたという話を、しばしば耳にした。だが、こうした事例は大都市でも存在する。

アルマトゥに住むカザフ人男性エルランは、知り合いを通じて軍事局に五〇〇〇ドルを払い、息子を入隊させた。息子は大学卒業後、軍事局に出向いたところ、ボクシングをやっていたほどの健康体なのに、身体検査を通らないだろうと言われた。そこで、やむなくカネで解決することになったのである。息子が兵役を希望したのは、公務員を目指していたからだ。エルランによれば、単に軍人手帳を持っているだけでなく、入隊経験が就職の際に有利に働いたという。

一〇〇〇ドル払えば、就職できるって言われてね。一〇〇〇ドルは少ないほうだ。それで済んだのは、息子が実際に軍で勤務したからですよ。（大学の）軍講座を終えただけの人より、軍隊に行った人が優先される。軍とはどういうものか知っていますから。だから（賄賂の）相場も安い。

だが、軍歴が就職に結びつかない場合もある。カザフ人女性アセマは、息子が入隊のための身体検査を受けたところ、偏平足を理由に断られてしまった。親子でひどく落胆していると、軍の関係者にコネがある友人が仲介を申し出てくれた。数日後には身体検査と必要な諸準備が終了し、夜中の一時に、剃髪した息子が出発前の別れを告げに帰宅した。本来なら兵舎に留まらなければならなかったが、警備員にカネを渡して見逃してもらったのだ。翌朝、首都に向かう息子を駅で見送ってから、アセマは借金して工面した五〇〇〇ドルを仲介者に渡した。

ここまでは、前述のエルランと大筋は同じだ。しかし、ひとり親のアセマには、除隊後のキャリアを築くために必要な資金が不足していた。息子は警察官志望だったが、身体検査で不適格とされた。検査をパスするには賄賂が必要だったのだ。ちなみにアセマの甥はその数年前、警察養成大学に五〇〇〇ドルの賄賂を払って入学し、無事卒業して警察官になったという。しかし、賄賂の相場は二倍に値上がりしており、彼女にはとても手がとどかなかったのである。

四　腐敗の構造

ピラミッドとシステム

話を法執行機関に戻そう。

警官や裁判官など、「機関」の人間はなぜ賄賂を取るのか。給料が低くそれだけでは生活できないからだ、というのが通説になっている。しかし現地の人びとの理解では、収賄の理由はより構造的なものである。「機関」に職を得るには高額の賄賂が必要になるので、そのカネをできるだけ早く取り戻すために、一般人から袖の下を集めるのだ。スウェーデンの政治学者ヨハン・エングヴァルが指摘したように、就職のための賄賂は「国家への投資」であり、公務員による収賄はその回収が目的なのである（第2章三節を参照）。

二〇一二年二月、税関のトップであるセリク・バイマガンベトフ財務省税関管理委員会議長が逮捕された。容疑は収賄罪で、八万ドルと引き換えに、ある人物を某州の税関管理局副局長に任命したという。翌二〇一三年一月には有罪が確定し、懲役一〇年と財産没収を言い渡された。ただしその後、大統領の恩赦により刑期が五年に短縮され、さらに二〇一五年二月には仮釈放されている。[11] バイマガンベトフは税関管理委員会議長のほかにも、内務大臣、法務副大臣、経済汚職犯罪撲滅庁副長官、大統領府法執行・司法制度局長などの要職を歴任している。まさにカザフスタンの「機関」を代表する人物が、汚職で逮捕されたのだ。

ちなみに、バイマガンベトフは釈放後、複数の刑務官を相手に訴訟を起こしている。彼は服役中に、殴打されたり、裸で床掃除をさせられたり、気温が零度を下回る寒さのなか、コートなしで何か月も独房に入れられるなど、数々の非人道的な扱いを受けたという[12]。容疑者や受刑者に対する虐待や拷問については、それまでも人権活動家や弁護士、ジャーナリストらが繰り返し指摘し、対処を求めてきた。かつて内務大臣としてみずからの監督下にあった刑務所で、自分自身がこうした扱いを受けたことを、バイマガンベトフはどう受け止めたのだろうか。

筆者のインタビューでも、自身が賄賂で職を得たと証言してくれた人がいる。ひとりは元警察官、もうひとりは元税関職員だ。警察官だった男性は二〇〇二年、親戚を通じて二〇〇〇ドルを支払ったが、給与が安く、昇進を後押ししてくれるようなコネもなかったので、結局、民間会社に転職した。他方、二〇〇〇年代半ばに税関に勤めていたという男性は、就職の際に四〇〇〇ドルを渡したという。

治安機関における職の売買と収賄の関係について、より詳しく語ってくれたのが、元内務省職員のダニヤルだ。彼は大統領の親衛隊に所属し、大統領公邸や別荘などの警護を担当していた。二〇〇〇年代初頭に除隊した後、不動産関係の事業を手掛けていたそうだが、話を聞いたときは仕事がうまくいっていないようだった。妻と六人の子どもを抱え、生活は大変だったはずだ。しかし、ダニヤルの落ち着いた威厳のある物腰は、経済的な困窮を感じさせなかった。

「機関」、つまり内務省、国家保安委員会、財務警察、検察、税関などのことですが、こうした組織に就職するにはカネがいる。相場は二〇〇〇〜三〇〇〇ドル。内務省で働いている私の元部下たちは、昇進するためにも同じような金額を払っています。

カネでやりとりされているとはいえ、公職は市場で売られている商品とは異なり、いちど購入すればずっと所有できるわけではない。その地位を保証してくれるのは、あくまで売り手であるパトロンであり、組織ではない。カネで就職しても、上司がクビになればすべて水の泡だ。ダニヤルが言うには、そうしたら「ピラミッド」を最初から作りなおさなければならない。だからみんな急いで元を取ろうとする。つぎ込んだカネの分より多く、賄賂で稼ごうというわけだ。

ダニヤル自身はソ連時代に、身体能力などを測る厳しい選抜を経て採用された。大統領の警護という職務の性格上、一般市民から賄賂を取る機会もなかったという。しかし彼もまた、同僚と共に上司である大佐に、毎月、自分たちの給料から上納金を納めていた。これは強制ではないが、「みんなこのシステムを承知している」。つまり、部下たちが上司の意向を忖度するのだ。

公的機関における収賄を話題にすると、ほぼ必ずといっていいほど耳にする言葉が、「ピラミッド」と「システム」である。ここでいう「ピラミッド」とは、組織のトップを頂点とし、それぞれのレベルの上長が部下を支配する重層構造を指す。上司は人事や予算配分を通じて部下に影響力を行使する。部下は、職を得るために「代金」を払い、一般市民から徴収した賄賂や公式な給料の一部などを上納し、それと引き換えに庇護を受ける。個々の職員が腐敗に手を染めるのは、単に私利私欲に走っているからだけではない。カネを下層から上層に吸い上げていくピラミッドの構成員になった以上、個人の意思でこの非公式なルールにあらがうことは非常に困難だ。

ロシア出身の社会学者アリョーナ・レデニョヴァは、「システム」（sistema）はロシア国民なら誰でも知っているが、定義することが難しい概念だという。[13] なぜなら、それが公式・非公式なルールからなる不明瞭かつ不透明な統治形態であるからだ。この「システム」は、かつてロシアとともにソ連邦を構成していたカザフスタンにも共通する。

システムには逆らえない、個々の警官が悪人なのではなくシステムがそのようにできている、カザフスタンのシステムは金持ちに有利だ。人びとは「システム」を、その構成員に対して直接的・間接的な圧力をかけ、非公式な規範に従うことを強要する、社会や組織のあり方としてとらえていた。払われた金銭の多寡や個人的関係によって、罪状や判決内容が決定される。また職を失いたくなければ、組織的な贈収賄に参加し上納金を納めるか、少なくとも見て見ぬふりをするしかない。「システム」は贈賄する側だけでなく、収賄する側の行動をも規定しているのである。

必要経費

カネとコネで就職し、その費用をすばやく回収するために収賄に励む。そんな警官が市民の尊敬を集められないのも無理はない。自分も内務省に勤めていたダニヤルは、いまの警察の体たらくを苦々しく思っている。彼が言うには、いまは不当逮捕がまかり通っている。カネをせびるために、パトカーに無理やり乗せて、留置所に何日も入れておくのだ。逆に警察に捕まりそうになっても、カネさえ払えば無罪放免になる。

ただし、警官にも同情すべき事情はある。ソ連崩壊後、急速な市場改革と緊縮財政により、あらゆる分野で予算が大幅にカットされた。その結果、公的セクターで賃金未払いや遅延が生じただけでなく、業務遂行に必要な設備や備品、消耗品が支給されなくなってしまった。そうした事態は二〇〇〇年代以降改善されてはいるものの、現場で働く人びとはいまだにしばしば自己負担を強いられている。

ダニヤルは、一九八〇年代から要人警護を担当していたが、当時は軍装品が定期的に支給されていた。着古していなくても、帽子、コート、靴下から肩章、勲章まで、必要なものはそのつど新調された。しかしいまは、彼の元部下たちはすべて自分で購入しているのだという。軍装品は専門店で注文しなければならず、その費用はばかにならない。

自腹を切らされる警官の悲哀を、筆者も感じたことがある。アルマトゥ滞在中、家族が外国人観光客狙いの詐欺に遭った。一人が近くでわざと財布を落とし、別の仲間が、これは俺のものだがカネが足りない、お前が盗んだだろう、財布を見せろと難癖をつけ、その隙にお札を抜き取る、というのが典型的な手口だ。犯人を見つけるのはまず無理だろうとは思ったが、念のため警察に届け出た。数日後に電話があり、容疑者の写真を見せたいからこっちにこい、という。すぐには無理だというと、その警官は、筆者が自宅に呼びつけたと思ったのか、ものすごい剣幕で怒鳴ったのである。

「ガソリンは自腹だし、俺の携帯を使って電話してるんだぞ！」

また、視察や監査と称して現場にやってくる、上司や役人の接待費用もばかにならない。その飲食費や宿泊費、交通費などを下っ端の職員が肩代わりさせられるからだ。こうした理不尽な出費を警官や税関職員が我慢しているのも、袖の下を稼ぐ機会が与えられているからこそである。

高いカネを払って職に就き、それを維持するためにも少なからぬカネを使う。警察や税関職員による収賄は、彼らにしてみれば、こうした出費を穴埋めするための合理的な行動なのだ。

デニス・テン選手の死が問いかけたもの

二〇一八年七月一九日、フィギュアスケートのソチ冬季オリンピック銅メダリスト、デニス・テンが暴漢に刺殺された。テン選手を襲った悲劇については日本のマスメディアも大きくとりあげたので、ご記憶の読者も多いだろう。傑出したスケーターであり、カザフスタンの若きヒーローでもあったテン選手の死は、現地社会に大きな衝撃を与えた。そしてこの事件をきっかけに、内務省の改革を求める声が強まっている。

デニス・テンは一九九三年、アルマトゥ生まれ。事件が起きる一か月ほど前に、二五歳の誕生日を迎えたばかりだった。スケートを始めたころの彼は、練習環境には恵まれていなかった。国内に競技用の室内リンクがなく、アルマトゥ市内のショッピングモールのなかにあるごく小さなリンクか、郊外の高地にある屋外リンクを使うしかなかったからだ。しかし、こうした不利な状況にもめげず努力

デニス・テン選手の記念碑（アルマトゥ）
［V. Boreiko 撮影］

を続けたデニスは、やがてロシアの競技大会でその才能を見いだされ、二〇〇四年にモスクワへ招かれてロシア人コーチの指導を受けるようになる。さらに、二〇一〇年にはコーチを替える決断をし、米国カリフォルニア州に拠点を移した。その後、オリンピック、世界選手権や四大陸選手権など、数々の国際大会で輝かしい成績を残している。

　フィギュアスケートでカザフスタンに初めてメダルをもたらした英雄。恵まれた才能とたゆまぬ努力により偉業を成し遂げ、数々の栄誉ある称号や賞を贈られた若者。そんな彼が突然、白昼堂々おこなわれた犯罪の犠牲になり、命を落としたのだ。事件は、テン選手がアルマトゥ市内のカフェで友人と昼食をとったあとに起きた。自分の車からサイドミラーを盗もうとしていた男二人を見とがめた彼は、もみ合いのすえ、右大腿部を刺されたのである。救急車で病院に搬送されたものの、出血多量でおよそ二時間後に死亡した。

　デニスが暴漢に襲われて亡くなった。このニュースは瞬く間に広がり、フェイスブックやツイッターなどのＳＮＳは、その突然の死を嘆き悲しむ投稿であふれかえった。七月二一日、アルマトゥのスポーツ施設で営まれた市民葬には数千人の市民が集まり、その早すぎる死を惜しんだ。事件後まもなく殺人容疑で二十代の男二人が逮捕されたが、いずれも前科がある人物だった。

カザフスタンを代表する人物が、大都市のど真ん中で真昼間に殺害された。このことに人びとは大きなショックを受けた。もちろん被害者が誰であれ、いつ、どこで起こったものであれ、殺人という罪の深刻さは変わらない。ただし、今回の犯行がおこなわれた場所は、すぐそばに劇場、博物館、大学などがある市の中心部で、しかも事件が起きたのは昼下がりだった。そのため多くの市民が、自分たちの安全が脅かされているという危機感を持つことになったのである。ちなみに容疑者らは、襲ったのがテン選手だったとは知らなかったと供述している。

ソ連末期からほぼ毎年アルマトゥを訪れ、長期滞在したこともある筆者のごく個人的な体験からいえば、アルマトゥは比較的安全な街だ。現地での移動は白タクが中心だし、夜道を一人で宿泊先に戻ることもしばしばだが、幸い、身の危険を感じたことはほとんどない。とはいえ、知人や友人からは、スマートフォンを奪われたとか、車上荒らしに遭ったとか、自宅に泥棒が入ったなどという物騒な話を耳にすることもある。ただ、日ごろ治安の悪さを感じている一般市民にとっても、今回の事件はあまりに衝撃的だったのである。

人びとの不満と怒りは、犯人よりもむしろ警察に向けられた。カルムハンベト・カスモフ内務大臣と、アルマトゥ市内務局長の辞職を求める世論も高まった。二〇一八年八月初めには、アルマトゥ市警察のトップが解任された。なかでも批判を浴びたのは、容疑者の一人が犯行の一週間前に窃盗罪で捕まっていたにもかかわらず、釈放されていたことだ。その容疑者は、首都アスタナ（いまのヌル＝スルタン）で車のサイドミラーを盗もうとして現行犯逮捕されたが、出頭命令に応じることを義務づけられただけで勾留を解かれていた。彼が釈放されていなかったら、デニスは死なずに済んだかもしれない。人びとがそう思ってしまうのも無理はない。

もともと、警察に対する市民の信頼は決して高くない。これまで述べてきたように、警察は賄賂と引き換えに犯罪をもみ消したり、違反や犯罪をでっちあげて市民からカネをゆすりとったりすることもある。これでは、彼らの関心は市民の安全ではなくカネ稼ぎなのだ、と思われても仕方がない。さらに、通報してもなかなか現場に来ない、被害者側が証拠を提出しても動かない、告訴状の受理を避けようとする、といった不作為も、市民の強い怒りをかっている。

「デニス、許して」。追悼メッセージのなかで、人びとは彼にこう呼びかけた。祖国に数々のメダルと栄光をもたらしたテン選手を死に至らしめたのは、腐敗した警察の存在を黙認してきたわれわれ自身ではないのか。国民に愛されたフィギュアスケーターの死は、カザフスタンの人びとに重い問いを投げかけている。

第4章　商売と〈袖の下〉

一　ビジネスの実態

生き残り戦略としての零細自営業

現地でのインタビューの際には、はじめに相手の属性について質問する。年齢、性別、民族、家族構成に加えて、必ず聞くのが職業だ。会社員、公務員、主婦、年金生活者、学生など、面談者のバックグラウンドはさまざまだが、しばしば返ってくる答えに「自分でビジネスをやっている」というものがある。

こう書くと「企業家精神に富んだ人がそんなにいるのか」と思われるかもしれないが、カザフスタンで頻繁に使われる「ビジネス」の中身は、カタカナ英語のビジネスから連想されるものとは少し違っている。具体的な内容を尋ねると、輸入小売業、キオスクやファーストフード店の経営、衣料品の路上販売から民泊まで、その規模や業種・業態はさまざまで、なかには非公式に商売をしている人もいる。自家菜園で採れた野菜や果物を道端で販売することも、立派な「ビジネス」なのだ。

こうした「ビジネスマン」や「ビジネスウーマン」のうち、ソ連解体前に成人していた世代は、そのほとんどが国営企業の従業員、教師、医師などとして働いていた人びとである。一九九〇年代初頭、経済の激しい混乱と悪化は大量の失業者を生み、給与の遅延や未払いが深刻化した。かつてはそれなりに安定した生活を送っていた彼らも、生活の糧を得るため、別の新たな方法を探さなければならなくなったのだ。むろん、経済自由化後に生じたチャンスを手にすべく、みずから進んで商売を始めた人もいる。なかでも急速に増えたのが輸入卸売・小売業である。一九九〇年代には、一般消費物資の小規模な買付・売却を繰り返して利ザヤを稼ぐ人びとが現われ、彼らは「担ぎ屋」(chelnoki)と呼ばれた。

計画経済の終焉と貿易の拡大は、他の旧ソ連諸国と同様に、カザフスタンにもバザールの急増をもたらした。担ぎ屋たちによって持ち込まれる大量の商品を、売りさばく場所が必要とされたからだ。社会主義時代には、おもに農産物や食品を販売するコルホーズ(集団農場)市場が中心であったが、一九九〇年代以降、バザールの数は大幅に増加し、食品だけでなく日用品、衣類、電化製品、建設物資、自動車部品や家畜まで、ありとあらゆる商品が扱われるようになった[1]。一般市民にとっても、通常の店よりも安く商品が手に入るバザールは、生活上、不可欠なものとなったのである。

アルマトゥ市内に数あるバザールのなかでも、とりわけ知名度が高く利用者も多いのが、「緑のバ

バラホルカ［筆者撮影］

ザール」と呼ばれる中央バザールと、郊外にある「バラホルカ」（Barakholka）である。中央バザールはその名のとおり市の中心部にあり、生鮮・加工食品だけでなく生活消費物資のほとんどが手に入る便利な場所だ。「バラホルカ」とはもともと「蚤の市」という意味だが、アルマトゥでバラホルカといえば、北環状線沿いにある卸売・小売市場の集合体を指す。広大な敷地に多種多様な商品の売り場やコンテナが連なり、事前におすすめの店を教えてもらっていても、なかで迷ってしまうほどである。

　アルマトゥ市内のバザールでは、韓国、トルコ、東欧諸国など、さまざまな国から輸入された品々が売られているが、なかでも目に付くのが大量の中国製品である。アルマトゥから対中国境までは約三〇〇キロ。カザフスタン・中国国境にあるホルゴス国際国境協力センター

八百屋（アルマトゥ）［筆者撮影］

は、ビザなし訪問が可能で、一五〇〇ユーロまたは五〇キロ以内であれば非関税である。そのため休日ともなれば、カザフスタン側からは三〇〇〇から四〇〇〇人の客が訪れるという(2)。キルギス共和国の首都ビシュケク郊外にある巨大なドルドイ・バザールも、中国製品を扱う一大拠点として知られており、そこで買い付けられた商品はカザフスタン、ウズベキスタン、ロシアなどへも再輸出されている(3)。

アルマトゥ市民は、しばしば「アルマトゥの経済は売買で成り立っている」と言う。この発言は、ソ連時代に比べ、製造業が大幅に衰退したことを嘆く文脈で聞かれることが多いが、実際に商業、とくに輸入品の売買で生計を立てている人は少なくない。やや古いデータだが、二〇〇八年におこなわれた世界銀行の調査によれば、アルマトゥ郊外のバラホルカではおよそ四万人が働いており、運送業者などの間接的な雇用も含めると、その数は二五万人にのぼるとされる。[4]

こうした個人ベースの商売は当初、ソ連時代には犯罪とみなされた「投機」と同一視され、否定的なイメージが付きまとっていた。とくに高学歴の専門職から転身を余儀なくされた人びとのなかには、それを恥じる人も少なくなかった。しかしいまでは、そうした社会主義時代のステレオタイプはすでに過去のものとなっている。個人の才覚と努力で商売をし、利益を上げることは、むしろ肯定的にとらえられているのである。

零細ビジネスを合法的におこなう方法は二つある。法人格の取得のほか、「個人事業者」としての登録も可能だ。カザフスタンでは安定した雇用先が限られていることもあって、「自営業者」が多く存在し、その数は全国で二〇〇万人以上との推計もある。[5]ただし実態としては、そうした自営業者には、不定期のアルバイトでわずかな収入を得るなど、無職に近い人びとも多数含まれている。政府は雇用主ではない自営業者に対して、手続きが比較的簡単な個人事業者資格を取得するよう推奨している。これは徴税目的のほか、年金や健康保険への加入を促進するためである。しかし社会保険料や税の負担を嫌って、非公式のまま働いている人たちも少なくない。[6]商業と並んで、非公式労働者が多いのが飲食業である。[7]なかでも軽食や飲料を店頭販売する小規模な店は、比較的参入しやすいビジネスのようだ。

関する企業調査

（単位：%）

カザフスタン				欧州・中央アジア	全調査国
規模（従業員数）			全体		
5～19人	20～99人	100人以上			
23.5	15.8	10.6	19.6	20.0	32.7
26.7	20.9	53.4	26.7	13.1	18.0
21.4	17.5	44.0	22.3	9.7	13.3
13.2	26.7	10.6	19.1	22.4	28.8
16.8	8.6	37.4	15.8	11.1	14.4
n.a.	37.2	n.a.	27.9	9.0	14.2
35.2	27.3	8.4	27.0	19.7	23.5
40.7	21.5	55.7	34.4	12.4	16.3
22.6	15.9	25.7	20.4	17.2	22.5

eys.org/data/exploreeconomies/2013/kazakhstanにもとづき筆者作成。
は，2010～17年に実施された各国の最新データにもとづき算出されている。なお，
いるため，「欧州・中央アジア」は旧ソ連・中東欧地域とほぼ同義である。詳し
About-Usを参照。
語をそのまま用いているが，ここではほぼ同義で使われているものとみられる。

ビジネス環境

バザールの商人、キオスクのオーナー、あるいは貿易会社に勤める会社員。こうした零細・中小ビジネスに携わる人たちを悩ませているのが、警官や税務職員によるゆすり行為である。有力者の後ろ盾や強力なコネがあれば別だが、中小企業や個人事業者はしばしば、法執行機関の不当な要求に屈することを余儀なくされている。また、営業許可の取得、衛生状態や防火体制のチェックなどで、行政機関とのかかわりを避けて通ることはできないが、ここにもハラスメントを受ける土壌がある。

ビジネスをおこなううえで、賄賂はどの程度の影響を及ぼしているのだろうか。

ここでは、世界銀行が実施している企業調査の結果を参照しよう。カザフスタンについ

表4－1　腐敗に

		業種	
		製造	サービス
腐敗はビジネス上の主要な制約である		16.5	20.6
賄賂を要求されたことがある		21.8	28.4
贈り物を期待された相手・状況	税務職員	20.6	22.8
	政府契約の締結	13.9	21.3
	営業ライセンスの取得	12.9	16.9
	輸入ライセンスの取得	29.4	27.2
	建築許可の取得	30.0	26.0
	電気を引く	16.3	46.9
	「問題解決」	18.4	21.1

出所：World Bank, Enterprise Surveys (2013), http://www.enterprisesurv
註：1）「欧州・中央アジア」および「全調査国」（139か国）の値
この調査は旧社会主義国および開発途上国を主な対象として
くは上記URLの註2，およびhttp://www.enterprisesurveys.org/
2）「賄賂」（bribe）および「贈り物」（gift）は調査結果にある用

ては二〇一九年現在、二〇一三年七～一二月におこなわれたものが最新で、全国六〇〇企業のオーナーおよび幹部にインタビューをおこなっている。質問事項にはビジネス環境に関係する幅広いトピックが含まれており、腐敗もそのひとつである。この企業調査は、中東欧・旧ソ連諸国については欧州復興開発銀行（EBRD）などと合同で実施され、ビジネス環境・企業パフォーマンス調査（BEEPS）の名称でも知られている。

表4－1は、カザフスタンでおこなわれた企業調査結果のなかから、賄賂に関する主要な質問を抽出したものである。ここからわかるように、カザフスタンでは五人に一人の企業幹部が「賄賂はビジネス上の主要な制約である」と考えており、また四人に一人が、少なくとも一回以上、賄賂を要求されたことが

あると回答している。業種別では、そのように回答した企業の割合は、製造業よりもサービス業のほうが若干多い。他方、企業規模別では、大企業（従業員一〇〇人以上）への贈賄要求の高さが目を引く。なかでも税務職員からの「期待」の大きさがうかがえるが、これは彼らの側からみると、大企業相手のほうが「実入り」がよいということだろうか。

他地域との比較では、実際に賄賂を要求されたことがある企業の割合がカザフスタンではより高いにもかかわらず、腐敗をビジネス上の大きな制約とみなす企業幹部は、全調査国平均からみると少ない[8]。これらの数字のみから判断することは難しいが、この調査結果は、カザフスタンの企業、とくに大企業の幹部のなかに、贈賄をビジネス上の潤滑油と考える人がより多く存在することを示している可能性もある。

ビジネスをおこなう際に、なぜ賄賂が必要になるのか。カネを渡すことで、どのような問題が解決されるのか。次節では、表4－1で示された「賄賂」や「贈り物」が、実際にいかなる状況下でやりとりされているのか、具体例をあげつつ、その実態の一部をあきらかにしたい。ただし以下で紹介するのは、あくまで零細ビジネスに携わる個人事業者と、中小企業の事例であることをお断りしておく。

二　なぜ賄賂を払うのか

公権力によるハラスメント

零細商人の多くは、割安な品々を求めて近隣諸国に買い出しに行き、国内で売りさばいてささやかな収益をあげている。ゴールド系の派手なファッションに身を包んだディーナも、そのひとりである。その外見からはやや意外に思えるが、もともとは学校で教鞭をとっていたという。商売を始めたのは教師の給与があまりに安かったからだ。二〇〇二年ごろまでの数年間、アルマトゥとビシュケクを行き来していたが、儲けが少なくなったことに加え、しつこく賄賂を要求する税関や警察に飽き飽きして、この商売から手を引いた。

ディーナは「買い出しに行くたびに、毎回必ず「貢物」を払わされた」と述懐する。税関だけでなく、麻薬取り締まりの警官たちにもだ。週に二回はビシュケクに行っていたので、彼らとも顔見知りになり、慣れてくると交渉で賄賂の金額を値下げしてもらえるようになった。しかし新入りの職員が来ると、また金額が吊り上がる。交渉が成立しないと商品を押収されてしまうので、最終的に要求をのむのは商人の側だ。

税関が袖の下を要求するのは、企業に対しても同じである。運輸会社に勤務する四十代男性は、以前、別の会社でロシアからのゴムタイヤの輸入を担当していた(9)。この男性は上司から税関に行くように命じられ、窓口に書類を提出したものの、受理してもらえない。しかし同じ税関職員は、彼の後ろに並んでいる人たちからは受け取っている。理由を尋ねても、忙しいの一点張りだ。この会社員男性は結局、二日間行列に並んだすえ、ほかの人たちが実はブローカーで、顧客の代わりに賄賂を払って

カラス税関（対キルギス共和国国境）［V. Zaikin 撮影］

いることを知る。彼もブローカーの若い男と知り合いになり、言われたとおりに書類のあいだに現金を挟み込んで、税関に渡してもらった。というのも、おとり捜査を警戒する職員は、顔なじみからしかカネを受け取らないからだ。

ルール違反を理由に袖の下を払わせるのも、警官や役人の常套手段である。問題は、規則が頻繁に変更されたり、周知が不十分であったりするために、それを完全に遵守するのが難しいことにある。さらに、警察が賄賂目当てで違法行為をおこなうように仕組んだり、あからさまな恐喝に及ぶことすらある。

控えめで物静かな風貌の女性イリーナは、アルマトゥ郊外で食品や雑貨を販売するキオスクを経営している。脳卒中を起こして働けなくなった夫、介護が必要な老母、息子二人との五人暮らし。息子たちもすでに働いているが、家族の世話をしながら家計を支えるために始めたのが、いまの仕事だ。

イリーナの店には警官、税務職員、そして厚生省の衛生・伝染病局の職員がやってきては、規則違反や衛生上の不備を口実にカネを要求する。頻度はそれぞれ年に一〜三回、一回に要求される金額は三〇〇〇〜一万テンゲ（二〇〜六八ドル）程度だが、イリーナは金銭的負担よりも、不快な気分にさせられることが嫌だという。

「言いがかりをつけようと思えば、理由はいくらでもみつけられますよ。探せば必ずね」。

警察にとって格好の口実は、未成年に対するたばこやアルコールの販売だ。キオスクのそばにあるアパートには常連客が多く住んでいる。イリーナは住民の家族構成や名前を知っており、顔見知りの子どもが親の使いだといって、酒やたばこを買いにくることもある。未成年に売るのは違法には違いないが、いつも厳しい態度をとっていては顧客を失いかねない。さらに、警察はおとりの少年をわざと店によこして、こうした商品を買わせようとすることもある。イリーナは、販売禁止商品リストの変更がすぐに周知されないのも、故意に違反者をつくりだすのが目的ではないか、と疑っている。

警察は、自分たちの気に入らない商品の販売を妨害することもある。ある美容学校教師の女性は、夫がテレビショッピングでビデオカメラ内蔵のペンを売り出したところ、人気商品となった。賄賂をせびる警官を撮影するために購入した人がたくさんいたのである。これに腹を立てた警官たちは彼女の夫のところにきて、違法な商品を販売した「罰金」として一〇〇〇ドルを要求した。実際にはそんな法律は存在しなかったが、「しょっぴくぞ！」と脅された夫は支払いに応じた。だが、四万テンゲ（二六〇ドル）しか渡さなかったので、その後もしばらくのあいだ、「残りのカネを払え」としつこく付きまとわれたという。

ちなみに、特殊なペンがなくてもスマートフォンなどで隠し撮りをし、その映像をＳＮＳで拡散すれば、賄賂を要求した人物に社会的制裁を加えることができるのではないか、という見方もあろう。たしかに、そうした対抗策を講じる人もいるが、全体から見ればごく少数派だ。そもそも袖の下を受け取る側は、やり取りが撮影・録音されないよう注意深く行動する。相手から反撃されるリスクもある。収賄はしばしば組織ぐるみでおこなわれているため、嫌がらせも組織的なものになりうる。教師や医師などに対する告発は、匿名の投稿でも個人が特定されるかもしれないし、通学先や通院先の変更を迫られる可能性もある。また、カネを払う側に落ち度がないことを証明するのが難しい場合、告発によって自分自身の首を絞めることにもなりかねない。

法人あるいは個人事業者としてきちんと登録し、公式に営業していても賄賂と無縁ではいられないが、さらに脆弱な立場にあるのが路上販売をおこなう人びとである。彼らの多くはバザールの売り場の賃貸料が支払えないため、やむなく違法な商売をやっている。わずかな年金で糊口をしのぐ高齢者はその典型だ。そうした社会的弱者をターゲットにした警察や役人のゆすり行為は、ギャングによる「みかじめ料」の取り立てさながらである。

一人息子と暮らすグーリャは、以前、アルマトゥ市内の路上で衣料品や靴を売っていた。ソ連時代にはパン製造工場の技術者だったが、一九九〇年代後半、ワンルームのアパートを売却して得たカネを元手に「ビジネス」を始めた。最初はバザールで商売をしていたが、親族が立て続けに亡くなっ

キオスク（アルマトゥ）［筆者撮影］

て経済的に困窮し、二〇〇八年、賃貸料が不要な路上販売をするようになった。最初に売ったのは、わずか五〇〇〇テンゲ（四二ドル）で仕入れた靴下だった。

グーリャは、そんなささやかな商売をしている自分のところにも、警察の「集金」がやってきたことに強い怒りを表明していた。金額は一回五〇〇テンゲ程度で、さほど多くはないものの、しょっちゅう取り立てにくるので、ひと月ではかなりの額になる。スーパーの脇で商売をしていたときには、警官が店で好きなものを買い、その代金を彼女に払わせることもあった。警官は顔なじみになると、自分が異動するときには「こんどからこいつがカネを集めるからな」といって、後任を紹介したという。

その後、路上販売に対する取り締まりが強化されると、グーリャも何度か当局に商品を没収された。そのたびに賄賂を払って返してもらったが、商品の一部がなくなっていることもあった。役人たちは、カネと引き換えに黙認することもあれば、「今日は監査があるから」といって商売をさせないこともある。しかし、グーリャたちは路上に出なければ食い扶持に困る。そのため、商品を没収するバスが来るときは、あらかじめ携帯に電話してもらえるよう、警官に頼み込んでいた。もちろん、それに対しては「お礼」が必要になる。

グーリャは場所を転々としながら四年ほど路上販売を続けたが、実入りが少ないこともあって、最終的にはこの商売から手を引いた。それ以降、掃除婦やベビーシッターとして働いているが、「賄賂を払うよりよっぽどまし」という。グーリャは、路上販売の違法性は十分承知している。ただ彼女にとっては、ぎりぎりの生活をしている人間から容赦なくカネを巻き上げることこそが、まさに腐敗なのだ。

魚心あれば水心

右でみたように、零細ビジネスに携わる個人や中小企業の会社員は、警官や税務職員、役人からしばしばカネを要求されている。しかし、彼らは必ずしも一方的な被害者ではない。現金や自分が扱う商品、サービスを提供する見返りに、要望を聞いてもらうこともあるからだ。日常的なつき合いや接待を通じて良好な関係を築いておけば、ビジネスを立ち上げ、それを円滑に進めるために必要な、さまざまな便宜を図ってもらうこともできる。

アルマトゥ市内のバザールで働く四十代の夫婦は、直接的・間接的に袖の下を払っている。直に渡したのは税務署だ。納税方法は複数あるが、この夫婦は売上高によって金額が決まるパテント（営業許可証）方式を選択した。そこで、税務署の窓口に行くと「カネを出すなら低く査定してやる」と言われ、了承した。売上高の根拠を自分で示そうとしたら税理士を雇う必要があり、コストも手間もかかる。窓口前の行列もやたらと長い。カネさえ払えば税務職員が書類の記入も「代行」してくれるので、はるかに効率が良いのである。

彼らが働くバザールでは、市当局、消防、衛生・伝染病局に対する賄賂は、バザールの管理人もしくはパビリオンの代表が個々の販売員から集金し、年に一回程度、まとめて支払っている。管理人は集めた金の一部を着服しているかもしれないが、いずれにせよ金額はそれほど大きくはない。むしろ「一括払い」のおかげで邪魔されずに商売ができるので、このシステムを歓迎している。ちなみにギャングが跋扈していた一九九〇年代には、夫妻は彼らにみかじめ料を渡していた。いまはその必要はないが、売り場の賃貸料の高騰により全体の経費は上がっており、以前に比べて儲けは減っている。

カネを払うのは、手間や時間を省くためだけではない。

ナターリアはアルマトゥの市立公園で、来訪者相手に飲料やお菓子を売る店を開いている。筆者がインタビューをしたときには、彼女がこの商売を始めてまだ一年もたっていなかったが、数名の若者を雇い忙しそうに立ち歩く姿から、そこそこ軌道に乗っている様子がうかがえた。以前は自宅で洋裁の内職をするごくふつうの主婦だったが、息子と一緒に商売を始め、小規模ながらも店のオーナーに転身したのである。

ナターリア曰く、公園内の営業許可は「誰でももらえるわけではない」。ましてや客が多く実入りの良い場所で店を構えるには、コネとカネが不可欠だ。彼女の息子は公園の管理人と昵懇になり、一〇万テンゲ（四五〇ドル）を渡したほか、園内の備品を五〇万テンゲで購入して「プレゼント」した。そのため初年度の収支は赤字だが、これもビジネスを続けていくために必要な投資である。税務署などには管理人を通じてカネを渡しているので、個別に賄賂を支払う必要はない。ナターリアは、カネで解決できるのは便利だし、プレゼントや接待もするだけの価値はある、という。ちなみに、これ以外に毎月、販売スペースの公式な使用料が発生している。

企業の場合、税務職員などへの心付けや接待費は、しばしば裏帳簿に計上されており、税務署もそれは百も承知だ。だからこそ、企業のオーナーは税務署の幹部に定期的に「謝礼」を渡し、職員をレストランやサウナで接待したりして、良好な関係の維持に努めるのである。

家庭用化学製品を輸入する会社で倉庫担当として働く男性によると、彼の会社ではそうした経費の処理は「経験豊富」な税理士が担当している。通関手続きには、多額の非公式な経費がかかる。たとえば、ヨーロッパから鉄道で輸入された商品は、カザフスタンに到着すると臨時倉庫に置かれ、そこでブローカーたちが通関手続きを代行する。貨物の車両が離れているとすぐに荷下ろしできないので、それらを隣り合わせにしてもらうだけのために、会社は一〇万テンゲ（六八〇ドル）の賄賂を払っている。臨時倉庫に四日以上置くと、公式な費用は一両あたり一日一〇〇ドルだから、賄賂のほうが安く済むのである。

非公式にカネを渡して目的を達成するには、コミュニケーション能力も重要だ。相手の信頼を勝ちとり、かつ、どの程度の金額で手を打つことができるのかは、交渉のやり方しだいで変わってくる。

元小児科医マラル（第2章二節を参照）は、ソ連解体後に貿易や小売業を始め、現在は外国製化粧品と健康食品の販売をしている。一九九〇年代には、自動小銃で武装した財務警察からあからさまな恐喝を受け、抵抗することなど考えられなかったが、いまではバザールで買い物をするかのように交渉するという。「「二〇〇〇ドルよこせ」といわれたら、こっちは「六〇〇ドル」って言い返す。私は中国によく行くので、値引き交渉には慣れているのよ（笑）」。

マラルは、以前は収入を過少報告したこともあったが、いまはすべてオープンにして、きちんと納税している、と強調した。しかし、どうしても書類上のミスが生じてしまうことはある。税務職員は、法律に違反している場合はもちろんだが、違反がなくても「援助」を求めてくるという。上司が来るから接待費を出してくれ、といわれたら、お酒を現物で提供したり、現金を渡したりといった協力は惜しまない。知り合いになっておけば、なにかと便利だからだ。マラル曰く、「「友だち」を持つのはいいことよ、あの人たちのことは（本当の意味で）「友だち」とは呼べないけれど（笑）」。

収賄する側の証言

カザフスタンの人びとに贈収賄についてインタビューすると、実に数多くの人が、警官や役人、医師や教師がいかに露骨に金銭を要求してきたか、憤懣やるかたない調子で語ってくれる。自分から渡した場合は若干のやましさをともなうものの、そうしたケースについても、たいていは率直に話してもらえる。他方、自身の収賄経験を語る人に出会うのはまれだが、ときおり、そうした貴重な機会に恵まれることもある。

税関職員の収賄について具体的に語してくれたのが、二〇〇〇年代半ば、対キルギス共和国国境の税関に勤めていたヌルランだ。彼によれば、賄賂の相場は持ち込まれる荷物の評価額の一〇パーセント、ひと月あたりの「儲け」はおよそ二〇〇〇ドルで、公式な給与の七倍に相当する金額を稼ぐことができたという。ちなみにヌルランは就職の際、税関に勤める岳父を通じて四〇〇〇ドルの賄賂を支払った。毎月二〇〇〇ドルの非公式収入が見込めるのだから、この「投資」は非常に効率がいい。

ひとつの班の構成員は、主任一名、職員八名の計九名。主任の取り分は平職員の二倍だ。税関の上司に一定の金額を上納するほか、地元の検察、財務警察、国家保安委員会の出先機関にも分配しなければならない。ちなみに「儲け」の二〇〇〇ドルは、こうした上納金や分配金を除いた手取り額である。この方式は税関職員にとっても、彼らの収賄を見逃す代わりに分け前に預かっている人たちにとっても好都合だ。ヌルランはロシア語のことわざを引いて、こう評した。

「「狼は満腹、羊も無傷」というわけだ」。

ヌルランが税関を辞めたのは、汚職撲滅キャンペーンの一環として実施された抜き打ち検査で、アルマトゥから派遣された財務警察に摘発されたからである。だが、彼は一緒に捕まった同僚とともに、財務警察に一人あたり一五〇〇ドルを払って刑事罰を逃れた。自主退職扱いとなったので、ふたたび税関に就職することも可能だという。収賄で逮捕されたら賄賂を払って事なきを得るとは、まるで冗談のように聞こえるが、そうした事例は間々存在する。まさに「事実は小説より奇なり」だ。

国境貿易の取り締まりで「稼いで」いるのは、税関だけではない。

アミルジャンは大学を中退して入隊し、除隊後に大学に入りなおした若者である。志願したのは国家保安委員会傘下の国境警備隊だ。アミルジャンが入隊した二〇〇九年当時は、国境警備隊は密輸業者や密入国者から多額の賄賂を徴収できる、うまみのある仕事だったという。しかし彼が志願した最大の理由は、エリート部隊なら除隊後にいい就職先がみつかると考えたからだ。

アミルジャンたちの任務は、カザフスタン南部の対ウズベキスタン国境地帯で、税関からやや離れた人気のないエリアを警備することだった。そこでは徒歩で国境を越えることができるが、警備兵にみつかるリスクもある。拘束されるか、最悪の場合、狙撃されるかもしれない。そういうリスクを避けるために、密入国者は仲介人に頼む。アミルジャンによれば、仲介人は国境地域の住民で、彼ら自身が密輸に手を染めている。仲介人が依頼人から受け取るのは三〇〇〇テンゲ（二〇ドル）で、そのなかから国境警備隊に一〇〇〇テンゲを渡す。残りは自分の取り分だ。おとり捜査の仕掛け人かもしれないので、兵士たちは密入国者と直接交渉はしない。

仲介人が密輸や密入国の手引きで儲けることができるのも、国境警備兵との不文律を守ってこそ。それを破ったときの代償は大きい。あるとき、仲介人が兵士たちにカネを払わずに、大量の商品をウズベキスタンから持ち込もうとした。怒ったアミルジャンたちは、近くの部隊を呼び寄せ、暗闇で一緒に待ち伏せをした。仲介人が国境を越えた瞬間に拳銃をもって立ちはだかり、五〇〇万テンゲ（三万三〇〇〇ドル）相当の菓子を押収したのである。その半分は自分たちの胃袋に収め、二五〇万テンゲ分を押収物として申告した。

「平らげるには時間がかかりましたね」。

三 住宅問題

ソ連の住宅政策と市場経済化

一般市民にとって、ソ連解体前後で激変したのは就業形態だけではない。支出面でも大きな変化があった。なかでも、家計に多大な影響を与えるのが住居費である。

賃貸暮らしは毎月の家賃がかさむが、庶民にとって住宅の購入は容易ではない。不動産情報サイト『kn.kz』の記事（二〇一八年二月）によると、アルマトゥの場合、新築・中古を含む住宅の平均価格は一平方メートルあたり一一〇〇ドル。アルマトゥ市民の平均賃金が六〇〇ドル程度（二〇一八年半ば）であることを考慮すると、決して安くはない。そして住宅ローンの年利は、なんと一五〜二三パーセント（二〇一〇年の場合）[10]。近年の超低金利に慣れた日本人からすると、驚くほどの高金利だ。

集合住宅（アルマトゥ）［筆者撮影］

他方、アパートを所有していれば、それを賃貸に出して家賃を稼ぐこともできる。筆者の友人にも、親族から相続したアパートの家賃を主な収入源にしたり、所有する広いアパートを貸し、自身は狭い部屋に引っ越して、生活費を捻出していた人もいる。家を持てるかどうか、またどんな家に住むのかは、人びとの大きな関心事になっている。

ソ連時代、都市部の住宅の多くは国家機関や国営企業、もしくは地区ソヴィエトが所有する集合住宅で、家賃や水道光熱費は補助金によって低く抑えられていた[11]。こうした住宅は、賃借人が亡くなってもその配偶者や子どもが住み続けることができ、実質的に「相続」されていた。これ以外に、協同組合方式で建設されたアパートも存在したが、全体からすればその割合は小さい。個人所有の戸建て住宅は、大都市ではな

地方の戸建て住宅（アルマトゥ州サルカンド市）［筆者撮影］

かなか建設許可が下りなかったが、農村では多くみられた。

ソ連の住宅は、質やメインテナンス不足もさることながら、最大の問題はその絶対的な不足にあった。一人あたりの居住面積は狭く、新しいアパートへの入居を希望しても、順番がくるまで数年、もしくは一〇年以上も待たなければならなかったのである。アパートを手に入れるには、勤務先や、居住する地区ごとに作成される順番待ちリストに入れてもらう必要があった。すでに住む場所があり、それが一定の水準を満たしている場合は、申し込むことすらできなかった。

住宅の配分では、勤続年数、職業（医師や教師が優先された）のほか、ひとり親や障害者の有無など、各世帯の事情が考慮されることになっており、居住面積は入居人数に応じて上限が定められていた。住民のニーズに応じた平等かつ公正な配分が、社会主義国家の理念として掲げられていたのである。

ただし実際には、党や国家機関、軍・治安機関、国営企業の幹部、学問や芸術分野の功労者などが、好立地の広い部屋を長期間待つことなくあてがわれていた。また圧倒的な住宅不足は、コネや賄賂の利用を促した。政治・経済エリートは、自分自身の利益のため、あるいは親族や友人のために、その地位や人的ネットワークをしばしば利用した。住宅配分に権限を持つ役人は、袖の下と引き換えに入居リストの順番を操作することもあったといわれている。

こうしたソ連時代の住宅事情は、市場経済化後に大きく変化した。

まず、かつての国有住宅の多くが個人所有に移された。カザフスタンでは、住宅の私有化はクーポン方式によっておこなわれ、勤続年数等に応じてクーポンが支給された。各世帯は、家族の構成員が持つクーポンを足し合わせた金額（一クーポン＝一ルーブルで換算）が住宅価格を下回った場合は、差額を負担する必要があった[12]。ただし、築一〇〜一五年以上のアパートは、ほとんどの場合クーポンのみで購入することができ、さらに軍関係者や年金生活者などは差額負担を免除された。また、医師、看護師、教師、退役軍人など、特定のカテゴリーに属する住民に対しては、無償で住宅が提供されている。この方式により、一九九〇年代前半にはほとんどの国有住宅が私有化された[13]。

その一方で、住宅の供給量は大幅に減少した。カザフスタンのアパートの新規建設面積は、一九九〇年には七八七万平方メートルに達していたが、一九九五年のそれは一六六万平方メートルにすぎない。これは、一九九〇年には総面積の八割以上を占めていた国営企業と国家機関による住宅建設の激減が主な理由だが、深刻な経済危機を反映して、民間資金による建設も下降線をたどっていた[14]。

なお民間セクターによる新規住宅の供給は、二〇〇〇年代以降、着実に増加している。アルマトゥでは都心部に新しいマンションがつぎつぎと建設され、大気汚染が少ないとされる山側には、戸建ての高級住宅街も出現している。各界のエリートがアパートの配分で優遇されるなど、ソ連時代にも住宅の格差は存在したが、外観的にあまり目立たないかたちでおこなわれた。これに対し、警備員が常駐する高級マンションや、高い塀に囲まれた広々とした邸宅など、現在みられるような光景は、拡大する経済格差を視覚的に実感させる。

市場経済化により激変したのは、住宅そのものの所有形態や供給をめぐる状況だけではない。ソ連時代には補助金によって低く抑えられていた電気、ガス、水道、暖房等の代金が、一気に高騰したのである。カザフスタンでは一九九〇年代後半、こうした費用が最低生活費とほぼ同じ水準にまで値上がりし、庶民の生活を圧迫することになった。水道光熱費は、カザフスタン経済が高成長を遂げた二〇〇〇年代以降も、依然として多くの世帯の家計に重い負担としてのしかかっている。

独立後の住宅政策

独立後のカザフスタンでは、社会主義時代のように国が住宅を建設し、格安で国民に貸し出すということはおこなわれていない。とはいえ、すべてが市場に任されているわけではない。都市部を中心とする住宅価格の高騰や二桁台の金利により、多くの一般庶民にとってマイホームは手がとどかないものになっている。そうした国民のニーズに応えるべく、市場価格より安い住宅や低利ローンの提供など、さまざまな住宅政策が実施されてきた。

二〇〇四年に採択された「住宅建設促進国家プログラム　二〇〇五～二〇〇七年」は、二八歳以下の世帯やひとり親世帯などのほか、公務員や軍人、教師、医師等、公的セクターで勤務する人びとを対象に住宅を建設し、市場価格の半分以下で提供するというものであった。ただし競争率は高く、二万八〇〇〇件あった申請のうち、実際に住宅を手にした世帯は二割にすぎない。このプログラムは二〇〇八～二〇一〇年にも実施されたが、入居者の割合は九パーセントにとどまった[15]。

カザフスタンの研究者ディーナ・シャリポヴァは、公共住宅へのアクセスは、独立後、より困難になったと指摘する。ソ連時代には条件さえ満たせば誰でも申請することができたが、住宅プログラムの対象は、そもそも一部に限定されているからだ。また、市場価格より低く抑えられているとはいえ、住宅を購入する必要があるので、申し込む際に支払い能力を証明しなければならない。その条件を満たすことができずに、応募をあきらめる人も少なくない[16]。

膨大な時間を要する公的なプロセスを非公式な手段によって回避するやり方は、ソ連時代から基本的に変わっていない。いまでも、申込書類を優先的に審査してもらったり、さまざまな書類を素早く準備したりするために、知人や親族に頼ることはしばしばある。だがシャリポヴァは、独立後はコネよりもカネの重要性が増している、という。彼女が二〇一一年にアルマトゥでおこなった調査によると、資格要件を満たしていないにもかかわらず住宅の順番待ちリストに入れてもらったり、リスト内の順番を早めてもらうために、住宅局の役人に贈賄する行為が蔓延している。ちなみに賄賂の相場は、前者の場合は七〇〇〇〜二万ドル、後者はそれよりも若干安く、五〇〇〇〜一万二〇〇〇ドルだ。なかには、そうして手に入れた住宅を他人に貸し出し、家賃収入を得ているとみられるケースも少なからずあるという[17]。

しかし皆が皆、数千ドルを用意できるわけではない。また、苦労して工面した挙句に、そのカネをだまし取られてしまう人もいる。

専業主婦のインナは、スポーツインストラクターの夫、四歳の長女とともに、アルマトゥの中心から少し離れた地区にある小さなアパートを借りて暮らしている。いかにもソ連時代の建築物という外見だが、部屋のなかは隅々まで掃除が行き届き、居心地よく整えられていた。モノが少ないのは彼女の几帳面な性格のためだけではない。大家がアパートを売りに出したり、家賃が払えなくなって実家に身を寄せたりして、何度も引っ越しを余儀なくされたからである。

インナたちは以前、若年世帯向けの住宅プログラムに申し込もうとしたが、市の役人から「一年以内に入居したければ一万ドル払え」といわれた。しかし、そんな大金は手元になく、あきらめざるをえなかった。インナは、自分の家を持つという夢をかなえるのは無理だろう、と考えている。公共住宅の順番待ちの行列は長く、順番を早めてもらうための賄賂も払えない。かといってローンを組むのも難しく、現状では八方ふさがりの状態だ。

図書館員のエリミーラが経験したことは、もう少し複雑だった。彼女は一九八七年からずっとアパートの申し込みをしているが、いまだに順番が回ってこず、夫と大学生の娘、専門学校生の息子と1DKのアパートで生活している。エリミーラは、国の住宅プログラムを利用しようとしたが、彼女の月収では応募資格がなく、夫には公式収入がない。そこで知り合いを通じて、市の住宅局にコネがあるという人物を紹介してもらい、総額七〇〇〇ドルを二回に分けて手渡した。その仲介者はローンの保証人を見つけてくれ、「一か月後には入居できる」と請け負ったが、その後、失踪してしまった。エリミーラの場合、だましたのは仲介を申し出た人物で、住宅局は無関係かもしれない。しかし彼女がその言葉を信じてしまったのは、カネと引き換えに行列の順番を早めてもらうという行為が決して珍しくないからである。

なお近年の住宅政策は、支払い能力などの要件を満たせば、少なくとも公式には全住民に門戸を開いている。二〇一二年に始まった「入手可能な住宅　二〇二〇」プログラムは、住宅建設貯蓄銀行を通じた公共住宅の賃貸、および低利ローンでの購入を可能にするものである[18]。さらに二〇一七年に開始された「ヌルル・ジェル（輝く土地）」プログラムは、新築住宅のローンの利子を公費で一部補てんするほか、個人住宅の建設促進、社会的弱者のための公的賃貸住宅の建設、民間の住宅建設業者への補助金などを盛り込んでいる[19]。また二〇一八年には、中央銀行が「七・二〇・二五　すべての世帯のための住宅購入の新しい可能性」をスタートさせた。これは住宅を所有しておらず、一定の価格以内の新築住宅を購入する場合に限り、ローンの利率を七パーセント、頭金を住宅価格の二〇パーセント以内、期限を二五年までとする優遇措置である。[20]
戸建て住宅を持ちたいと考える人たちにとっては、国有地の私有化も重大な関心事になっている。カザフスタン国民は一回に限り、〇・一ヘクタールの住宅用地を無償で受け取ることができる。[21] ただし、所有権の移転は住宅完成後とされ、かつ二年以内に家を建てなければ土地を国に返却する、という条件が付されている。[22] 人口が比較的少なく、かつ日本の七倍以上の広大な土地を有するカザフスタンならではの政策だが、この国有地の分配も腐敗の温床となっている。行列の順番を早めるかわりに賄賂を受け取ったり、無償で提供すべき土地を売って代金を着服したり、同じ土地を何度も転売し、そのたびにカネを徴収するなど、地方行政府の腐敗ぶりを指摘する証言には事欠かない。

煩雑な手続き

住宅問題に関する聞き取りをしていると、相続や売買の手続きの煩雑さを訴える人は実に多い。住宅局のほか、建設局、消防局、衛生・伝染病局など、それぞれの窓口ごとに書類を準備しなければならず、そのひとつひとつに手間と時間がかかるのだ。一戸建ての場合は、さらに土地の登記や、電気、水道、ガスを引くための手続きも必要になる。全部そろえるのに一年以上かかったという人もいる。こうした手間を省くため、賄賂とコネが使われるのである。

不動産がらみの書類には、役人が難癖をつける要素が多々存在する。第2章に登場したエレーナの例（六二頁）が典型だが、ここでは別のケースを紹介しよう。

五十代の寡婦ナージャは、中央バザールの近くにある老朽化した家に住んでいる。一九三七年築で、その外観からすると、当時は立派な一軒家だったのかもしれない。しかし、かつての玄関にドアはなく、窓にもガラスがないので内階段は吹きさらしだ。複数の世帯が入居しているが、屋内にはトイレも風呂もない。彼女の家を訪ねたのは一一月初頭の雪がちらつく寒い日で、部屋に入った瞬間は暖かく感じたものの、話し込んでいるうちに足許からしんしんと冷えてくる。部屋には石炭ストーブがあったが、節約のためだろうか、火が入っていなかった。

ナージャは勤めていた革加工工場が一九九二年に閉鎖されて以来、定職に就けずにいる。職業を尋ねると「企業家、ビジネスマンだね」と冗談めかして答えた。夫に続き、一人息子にも先立たれた彼女は、中央バザールで働く出稼ぎ労働者たちを一泊三〇〇テンゲ（二ドル）で泊め、なんとかやりくりしている。店子はつねにいるわけではなく、賃貸収入は少ないうえに不安定だ。ナージャの大家業は非公式なので、それを知る税務職員から袖の下をよこせといわれることがある。食うや食わずの生活だが、要求されれば払わざるをえない。

ナージャが住んでいる四〇平米のスペースは、もともとは姑が国からあてがわれたもので、一時は姑、夫、ナージャと息子、夫のきょうだいと妻子、計七人が住んでいた。夫は一九八三年に亡くなったが、ほとんどの住宅が私有化された一九九〇年代にも、ナージャは何の手続きもせずそのまま住んでいたらしい。夫の死亡証明書があり、二人は正式に結婚していたので、とくに必要を感じなかった、というのが彼女の説明だ。

ところが、いざ名義を書き換えようとしたとき壁にぶちあたった。国有住宅を許可なく改築したので、裁判所を通さなければ相続できないといわれたのである。ソ連時代に作成された古い書類では、間取りは二部屋と「倉庫」になっていたが、技術者を呼んで図面を描いてもらったところ三部屋になった。ナージャ自身は何も手を加えていなかったが、「倉庫」が実質的に部屋として利用されていたからだ。当然ながら裁判には時間も費用もかかる。困った彼女は親戚のつてを頼り、住宅局の職員と非公式に話をつけてもらい、数万テンゲの現金を手渡して事なきを得た。

不動産をめぐる贈収賄の蔓延が人びとを悩ませているのは間違いない。しかし、こうした状況を住民の側が利用することもある。

カザフスタン南部のタルドゥコルガン市出身の女性は、地元にあった自分のアパートを売ろうとした際に、不動産屋から問題を指摘された。以前、間取りを変更していたのだが、本来なら事前に建設局をはじめとする関連窓口からそれぞれ許可を取り、隣人の了解も得る必要があったのである。そこで彼女は技術インベントリ局（ＢＴＩ）の職員と交渉して、七万五〇〇〇テンゲ（五〇〇〇ドル）を渡すかわりに、必要な手続きをすべて代行してもらった。そのおかげで、正式にやったら最低でもひと月半はかかるところを、たった五日で済ませることができた。この女性が言うには、彼女のようなやり方がむしろ一般的なのだそうだが、こうした無断改装の影響を懸念する声もある。リフォームの規模とやり方によっては、集合住宅全体の安全性に問題が生じかねないからだ。

他方、役所に有力なコネがあれば、手続き全体がスムーズにいく。アルマトゥ近郊の小都市で個人事業者として商売を営む男性は、オフィスの増築に必要な書類を集めはじめたものの、半年たっても終わらず、そうこうしているうちに一部の書類の有効期限が切れてしまった。それを知った役所の知り合いに助言され、この男性はあえて「無断増築」をして公式の罰金を支払い、増築分の使用許可を取得した。通常は、違法建築であることを理由に撤去されるか、それを回避するために賄賂を要求されるが、彼は罰金のみで事なきを得たのである。この事例は、非公式なやり方で物事が進められる場合にも、必ずしもフォーマルなルールが無視されるわけではないということを示している。

四　ビジネスと非公式ネットワーク

コネかカネか

コネとカネ、どちらがより重要か。筆者はインタビューに応じてくれた人びとに毎回、この質問を投げかけた。当初、予想していた回答は「カネ」である。腐敗や非公式な慣行に関する先行研究では、お互いに提供できる便宜を交換するソ連時代のコネ利用が、市場経済化を経て金銭をともなう交換に変化した、と指摘されていたからだ。実際に、社会主義時代との違いについて尋ねると「昔はコネだけで解決できたのに、いまは必ずカネが要る」とか、「いまは、カネさえあればできないことはない」という人はとても多い。

だが、より詳しく聞いてみると話はそう単純ではない。どちらも同じくらい必要だとか、最終的にはコネがモノをいう、と主張する人もいるし、同一人物であっても、話すテーマによって、どちらが重要かについての見解が変わることもある。

こうした意見の多様性や、文脈への依存度の高さには理由がある。まず、何か問題を解決しなければならないとき、コネとカネはどちらかひとつではなく、組み合わせて使うことが多い。第2章で述べたように、非公式な金銭のやりとりにおいて、コネは権限を持つ人物へのアクセスを可能にし、目的達成の可能性を高め、かつ取り引きのリスクを減らす役割を担っている。いくらカネを積む用意があっても、そもそも渡す相手を見つけられなければ問題は解決しないし、思うような結果を得られないリスクも決して低くない。

状況に応じた使い分けもある。役所や警察で働いている親族がいても、子どもの保育園入園や軽微な違反の見逃しなどでは、あえて頼み事はしない、という人もいる。便宜を図ってもらったという道義的な負債を負うことになるからだ。それよりも、ビジネスライクにやりとりができる知人や、その場限りの相手に「謝礼」を渡し、手っ取り早く済ませたほうが後腐れがない。ただし、自分や家族が重篤な病気にかかったり、実刑判決を受けそうになったりしたときは別である。「借りを作りたくない」などと言っている場合ではないからだ。

さらに、「そもそもコネとカネは不可分だ」と主張する人も少なくない。筆者は、具体的な問題解決のためには、どちらがより役に立つのかを尋ねたつもりだった。つまり、ここでいう「カネ」は自分が払う賄賂のことだ。しかし、彼らは「収入を得るうえで、コネはどのような役割を果たしているか」という観点から意見を述べたのである。彼らが言うには、いいコネがあればカネを稼げるし、金持ちは強いコネを持っている。両者は密接に絡み合っていて、切り離して考えることはできない。

実際に、強力なコネは公的資源へのアクセスを容易にする。国家機関や国営企業のポスト（およびそれに付随する公式・非公式な収入）を得るにもコネは有用だが、ビジネスをおこなううえで決定的に重要なのが有力者の口利きだ。公共事業の入札や政府の買付、公的融資、補助金などを勝ち取るには、コネが不可欠である。さらに事業を安定的に継続するためには、警察、税務機関、検察や裁判所と良好な関係を持つことも必要とされる。これらの組織が、賄賂目当てで恣意的な取り締まりや介入をおこなうのを避けるためだ。

ジャーナリストで反対派政治家のアミルジャン・コサノフ氏は、「どんなに素晴らしい事業計画があっても、地元の有力者や省庁とのつながりがなければ、カザフスタンではなにもできない」と断言する。そのようなつながりを提供してくれるのが「アガシュカ」である。

アガシュカとは

「アガシュカ（agashka）がいなければクソ（kakashka）と同じ、アガシュカがいれば人間だ[23]」。

これは粗野な表現ではあるが、カザフスタンにおけるパトロネージの重要性を端的に示す俚諺である。「アガシュカ」とは、自身の非公式なネットワークを利用して目的を達成することのできる、影響力の強い人物に対して使われる言葉だ。公式な手続きを通じてではなく、個人的な関係によってさまざまな問題を解決できる人を指しており、パトロンあるいは後ろ盾と言い換えることもできよう。

こうした俗諺が流行る背景には、役人などに顔が利き必要な時に口添えをしてくれる人がいないと、仕事がなかなかうまくいかず、日常生活上も不便を強いられる、という現実がある。オフィシャルには公正かつ平等なルールが掲げられていても、公的資源の配分に関する実際の決定は、しばしばインフォーマルにおこなわれる。その際に、クライアントに有利な条件を提供し、必要なときに庇護を与えることができるのがアガシュカだ。なかでも公的機関への就職・昇進やビジネスの成功は、公職者、もしくは彼らと関係が深い人物のあいだで、自分のパトロンを持つことができるかどうかが非常に大きな意味を持つ。

アガシュカは、カザフ語で年長の男性親族を指す「アガ」と、ロシア語の指小辞「シュカ」からなる、ハイブリットな単語である。「シュカ」は、「小さい」「かわいい」などのほか、軽蔑のニュアンスを含むこともある。アガシュカは、ロシア語の会話にしばしば登場するが、カザフ語辞書はもちろんロシア語辞書にも載っていない。カザフスタンの識者によれば、こんにちのような意味で広く用いられるようになったのは、ソ連崩壊後の一九九〇年代だという。

一般に流布するアガシュカのイメージは、中年太りをした金持ちのカザフ人男性だ（次頁の図版を参照）。メディアで風刺的に描かれる人物像は、周囲に自分の力を誇示し、職場の部下を自分の召使いのようにこき使い、公用車を家族の送迎に使ってはばからない公私混同の役人である。なかでも親族の進学や就職の世話を焼くのは、アガシュカの典型的な行動パターンとみられている。アガシュカの子どもたちは、公的機関の重要な役職に就いたり、待遇の良い国営企業に就職したりするなど、親の七光りで特権を享受しているとしばしば批判されている。

アガシュカと呼ばれる人びとのこうした行動は、カザフ文化に根差した価値観や慣行を反映している部分もある。第2章で触れたように、伝統的なカザフ社会では、年長者が自分のコミュニティのメンバーの面倒を見る責任を負っていた。親族間の相互扶助は、共同体の内部において道義的義務とみなされてきたのである。

「アガシュカ」のイメージ［V. Kadyrbayev による風刺画］

しかし、カザフ人である否かはアガシュカとみなされる際の必須条件ではなく、その対象が中高年男性に限定されるわけでもない。その本質は、自分の人脈を使って公式な手続きを回避し、家族や友人、あるいは自分のクライアントに便宜を図る能力にあり、そうした能力を持つ人物であれば、民族や年齢にかかわらず誰でもアガシュカと呼ぶことができる。ちなみに、この女性バージョンである「タテシュカ」（tateshka）は、強いコネを持つ女性、もしくはアガシュカの妻を指して使われることもある。

　また、アガシュカの影響力の強さはその役職で決まるわけではなく、影響力を発揮できる範囲も、過去や現在のポジションとは必ずしも重なっていない。たしかに、彼らのほとんどは公職もしくはそれに準ずる職にあるか、過去にそうした職に就いていた人びとである。しかしアガシュカの力の源泉は、中央政府の高官や地方行政府のトップをはじめとする、公職者との個人的な関係にある。重要なのは、誰とつながっていて、誰と話をつけることができるかだ。

　カザフスタンの政治学者ドスム・サトパエフ氏は、アガシュカを「そのコネが巨大な富を、その富が新しいコネをもたらす人物」と定義する。つまり、アガシュカが君臨するのは共通の経済的利益を有する集団であり、その集団は血縁や地縁、さらに民族的帰属をも超越しているのである。

第5章　入学も成績もカネしだい

一　変わる教育

贈収賄はあたりまえ

カザフスタンで聞き取り調査をしていたときのこと。長年、腐敗削減に取り組んできた弁護士ヴィタリー・ヴォロノフ氏が、こんなエピソードを披露してくれた。

あるとき、僕の運転手が某国立大学法学部の卒業証書を手に入れた。わざわざみせびらかしにきたので、ちょっとからかってやろうと思ってね。その卒業証書にはちゃんと大学の公印が押してあったんだが、僕は「君はだまされたね。本物なら顔写真がついているはずだ」って言ってやった。週明けに彼がいうには、僕の冗談を真に受けて、卒業証書を売りつけた奴をみつけ出して一発お見舞いしたそうなんだ。

カザフスタンは、国の将来を担う若い世代のエリート教育に力を入れている。国費留学制度「ボラシャク（未来）」が創設されたのは、独立後間もない、経済的にもまだ大きな困難を抱えていた時期だった。この制度を利用して、一万人を超える学生たちが外国のトップクラスの大学で学び、政府機関を含む各界で活躍している。二〇一〇年には大統領の強いイニシアチブのもと、彼の名を冠したナザルバエフ大学が首都に開校した。世界中から招かれた教授陣がおこなう授業はすべて英語だ。ちなみに、学長は勝茂夫・元世界銀行副総裁である。

その一方で、多くの大学や学校では、成績や試験の点数、学位論文をカネやコネで手に入れる行為が横行している。二〇一四年、大統領与党ヌル・オタン党の青年部ジャス・オタンが、六二の高等教育機関で学ぶ一二〇〇人を対象にアンケート調査を実施した。それによると、学生の九割以上が自分の大学に腐敗が存在すると認めていた。またこの調査では、学生がさまざまな便宜を得るために実際に支払った金額についても尋ねているが、期末試験をパスするための賄賂は平均で二万九〇〇〇テンゲ（一六〇ドル）、一科目なら五〇〇〇テンゲ（二八ドル）、完成した卒業論文は六万テンゲ（三三〇ドル）である[1]。

第1章で紹介したアンケート調査（二〇〇六年）によれば、国立大学では回答者全体（学生および保護者）の四〇パーセントが、国の奨学金の獲得、期末試験、専攻の変更などで不正な手段を使ったと答えている。公立学校については、保護者がカネを払って子どもを有名校に入学させたり、優秀な卒業成績をつけてもらったりするケースのほか、学校に就職する際に袖の下を使う事例があげられており、こうした目的のために非公式に便宜を図ってもらった人は全体の一九パーセントにのぼる。

信じがたいような事実も発覚している。カザフスタン西部に位置するマングスタウ州で、法務省の調査機関が一九九〇～二〇〇〇年代に卒業証書を取得した教師二〇〇名を調査した。何らかの疑いがあった人物が対象になったのだろうが、そのほぼ九割が実際には大卒資格を持っていなかったという。そのニセ教師たちが入手した「卒業証書」はカラープリンターで作成され、地下の横断歩道で売られていたものだったというから驚きだ[2]。

こうした現状については政治家も警鐘を鳴らしている。ダリガ・ナザルバエヴァ下院副議長（当時）は、国会の高等教育特別調査委員会報告を受け、つぎのように発言した。

あらゆるレベルの教育において、腐敗がシステマティックな問題になっていることを認めねばなりません。生徒たちの学習意欲が低いのもそのためです。生徒たちは、試験問題を自分で解くより買うほうがいいと思っています。コレッジや大学に若者が行くのは知識を得るためではなくて、卒業証書をもらうためです[3]。

教育分野における腐敗の要因としては、生徒や学生の学習意欲の低さや、教師の低賃金がしばしば指摘される。しかし、カザフスタンの学校・大学における贈収賄は組織化されており、個々の学生や教師の事情だけでは十分に説明することはできない。本章では、教育分野における贈収賄、口利き、公職売買などの不正行為に焦点をあてつつ、それがルール化され、多くの人びとが熟知し実行する、ある種の規範となっている実態を示すことにしよう。

高等教育の有償化

ソ連崩壊後、カザフスタンでは新しい教育カリキュラムの策定、教科書の作成、法律の整備など、さまざまな教育改革が実施された。国民統合の根幹を担う教育が、独立とともにその内容を変えたのは当然である。なかでも大幅に見直されたのが歴史・言語教育だ。歴史教育は単に、自国史が「ソ連史」から「カザフスタン史」に変わったというだけではない。カザフの偉人たちにより多くの光が当てられる一方で、一九三〇年代の遊牧民の強制的定住化が招いた大飢饉など、かつてはタブーとされた史実が歴史の授業に反映されるようになったのである。また、ソ連時代はロシア語の普及とロシア語による教育が優先されていたのに対し、カザフスタン政府はカザフ語の使用範囲の拡大に取り組んできた。教材の不足などの課題は残されているものの、カザフ語で教育を受ける機会は増大している。

独立後は、国内外で多様な教育を受けることも可能になった。すべて国家の管理下に置かれていたソ連時代とは異なり、いまは学費さえ払えば、特色のある教育をおこなう私立の教育機関を自由に選択することができる。留学の機会も増えている。国費留学制度「ボラシャク」についてはすでに触れ

ナザルバエフ大学（ヌル＝スルタン）［筆者撮影］

たが、外国政府が提供する奨学金を獲得したり、自費で留学する学生もおり、留学先も欧米のみならず東南アジアや東アジア、中東など多様である。

その一方で、失われたものもある。社会主義政権下では、就学前教育から高等教育に至るまで、すべての教育が国家によって無償もしくは格安で提供され、大学生は返済不要の奨学金を受け取ることもできた。しかしこうした手厚い保障は、ソ連崩壊とともに過去のものになってしまった。

現在、カザフスタンでは一一年間の無償義務教育が保障されている。子どもを学校に通わせる場合でも、制服や体操着、文房具の購入、定期的な寄付など、保護者の負担はそれなりに重いが、親たちがもっとも頭を悩ますのが大学への進学費用である。カザフスタン高等教育機関協会によると、一年間に必要な学費の平均は一一〇〇ドル（二〇一六年）で、国立大学も無償ではない。大学や学部によってもかなりばらつきがあり、有名大学ではその五倍にも相当する学費を課すところもある。[4] 学費を捻出する現実的な方法は、学校の卒業試験と大学の入学試験を兼ねた全国統一試験でよい成績を収め、国の奨学金を得ることである。そのため、この試験に対する国民の関心は非常に高い。

トップクラスの成績優秀者には、別の奨学金も用意されている。冒頭で紹介したナザルバエフ大学と、同じく大統領のイニシアチブにより創設された「ナザルバエフ・インテレクチュアル・スクール（NIS）」で学ぶ生徒・学生に対する支援である。NISは優秀児を対象に、最先端のプログラムにもとづいた実験的教育をおこなう学校で、二〇〇八年以降、全国の主要都市に開校している。ナザルバエフ大学とNISは教育科学省から独立した「教育自治組織」として、それぞれ独自の選抜試験をおこなっている。潤沢な予算が重点的に配分されており、学費も基本的に国が負担する。[5]

こうした教育事業からは、カザフスタン政府が人材育成にかける並々ならぬ熱意が感じられる。これらのプロジェクトが優秀な人材を輩出していることは疑いのない事実である。他方で、エリートの育成が優先され、公教育全体への投資が後回しになっているとの印象は否めない。

カザフスタンでは一九九〇年代の深刻な財政難を背景に、社会保障と並んで教育関連の予算も大幅に削減された。経済が成長に転じて以降、政府も予算を増やし、教育インフラの充実に努めている。しかし、施設や教師の不足から二交代制あるいは三交代制を敷いていたり、校舎や設備の老朽化に悩まされている学校もいまだに少なくない。現場では、こうした問題に対処するため、修繕や備品購入に保護者の負担を求めることが常態化しており、それが一部で収賄の温床ともなっている。都市と農村の格差も深刻だ。

ボラシャク、ナザルバエフ大学およびＮＩＳは、試験に受かれば奨学金が支給されるため、経済的に恵まれない家庭の子どもにも学ぶチャンスがある。また高等教育の奨学金配分においては、農村出身者や孤児、障害児などへの特別枠も用意されている。しかし、厳しい競争に勝ち抜く学力を身につけるには、さまざまな教育機会に恵まれた都市部に住み、かつその費用が負担できる家庭の子どもがどうしても有利になる。ソ連時代には比較的少なかった経済格差が、いま教育の面でも影を落としているのである。

教育制度

本論に入る前に、教育制度の概要をここで簡単に紹介しておこう[6]。

義務教育は四・五・二の一一年制（二〇二〇年までに四・六・二の一二年制に移行予定）で、六歳もしくは七歳で入学する。新学期が始まる九月一日には、入学を祝う「最初のベル」という行事がおこなわれるが、おめかしした新入生が大きな上級生に抱きかかえられ、手に持ったベルを鳴らす姿がほほえましい。

カザフスタンにおける中等教育就学率はもともと高水準だったが、二〇〇五年以降は一貫して一〇〇パーセントを達成している。識字率もほぼ一〇〇パーセントだ。これはソ連から受け継いだ正の遺産といえよう。大学への進学熱も高く、高等教育機関（大学および二〜四年制の職業技術専門学校）への進学率は五四パーセントにのぼっている（二〇一七年）。九年生を終えた後は、学校に残らずコレッジに進学する生徒もいる。コレッジは三年もしくは四年制で、卒業後、大学に編入することも可能だ。

初等・中等教育機関は全体の九五パーセントが公立校である（二〇一五年）[7]。高等教育においては、私立の教育機関が占める割合ははるかに大きい。二〇一九年現在、全国の高等教育機関は一三一校だが、そのうち国立（軍関係を含む）が五〇校、私立が五七校となっている[8]。なお以下で紹介する事例は、高等教育機関については国立、私立の双方を含んでいるが、第三節の内容はすべて公立学校に関するものである。

大学院教育では、かつてはソ連時代の制度を引き継ぎ「博士候補」（kandidat nauk）と「博士」（doktor nauk）の学位が授与されていたが、二〇一一年にこれらを廃し、それぞれ修士（master）および博士（doctor）の学位を与えるコースに変更されている。これは、欧州レベルでの高等教育協力推進を目指したボローニャ・プロセスに加わるための改革の一環としておこなわれたものである。なおカザフスタンは二〇一〇年、欧州高等教育圏（ＥＨＥＡ）に参加している。

二　大学と「市場原則」

成績の「購入」

高等教育機関の贈収賄について調べていると、「市場原則」の浸透ぶりに驚かされる。大学や学部、科目ごとに賄賂の相場があり、成績や試験の点数があたかも商品であるかのように取り引きされているのだ。さらに賄賂の金額は、評価や点数の高さに応じて変動する。

売買だから「おつり」も出る。ある三十代の女性がヌル＝スルタンの大学で学んでいたとき、教授は彼女とクラスメート二〇名ほどを教室に残し、夜の一〇時になっても合格点をつけなかった。そこで「級長」（後述）が交渉し、「五」（五段階評価の最高点）は二〇〇〇テンゲ（一七ドル）、「四」なら一五〇〇テンゲ（一三ドル）でいい、ということになった。彼女の財布には二〇〇〇テンゲ札一枚しかなかったので、帰りのタクシー代を残しておくために「四」を頼んだ。教授は「五じゃなくていいのか」といぶかりながらも、五〇〇テンゲを返してくれたという。

ただし、すべてが相場で決まるわけではない。第2章で述べたように、強いコネは価格を下げる効果がある。大学関係者に直接のコネがなければ、誰にあいだに立ってもらうのかが重要になる。また本人の交渉能力にも左右されるので、相手とどのように話をするのかも考えなければならない。教師によっては、学生の経済状況や家庭の事情を考慮し、「値引き」に応じることもあるからだ。

大学の授業風景（アルマトゥ）［V. Zaikin 撮影］

成績が売り買いされる「市場」においては、事情に疎い新入生や経済的に余裕のある学生の「相場破り」は、ほかの学生にとって迷惑な行為である。教師がそれに乗じて値を吊り上げかねないためだ。

学生たちは、なぜカネで成績を手に入れるのか。授業を休んだり、試験をきちんと受けない理由として、彼らはよく「勉強する価値がない」「時間の無駄だ」という。体育など、専門とは関係ない科目はとくにそうだ。学ぶことに意義を見いだせない講義の単位を買ってしまう学生も、必ずしも勉強にまったく関心がないわけではない。こうした若者たちにとって、贈賄は無駄を省くための合理的な手段なのである。ちなみに、「専門科目は賄賂では買えない」という証言も少なからずあった。

金銭的にも、賄賂のほうが安く済む場合もある。白タクの運転手をしている二十代男性は、かつて大学の通信教育コースで学んだ。当時すでに結婚して子どももいたので、家族を養わなければならなかったからだ。あるとき、彼は提示された金額を用意することができず、その教師の科目が不合格となった。その結果、再試験を受けることになり、「四〇〇〇テンゲをけちったばかりに」追試代として大学に二万七〇〇〇テンゲ払うはめになった。[9]公式な費用のほうがずっと高くついたのである。

ちなみに、おもに社会人を対象とする通信教育コースは、とくに贈収賄が蔓延していることで知られている。仕事で忙しい学生たちは手っ取り早く卒業資格を取ろうとし、教師たちもそれをよく承知しているからだ。

賄賂の渡し方には、大別して二通りある。学生が教師と直接やりとりをするケースと、学生たちがカネを出し合い、まとめて渡すやり方だ。後者の場合、重要なのが「級長」(starosta)と呼ばれる学生の存在である。級長は一般学生と教師の仲介役で、教師が求める賄賂の金額や、成績の購入を希望する学生のニーズを把握しており、金銭の受け渡しも引き受けている。教師にとっては学生と直接接触しないで済むため、安全かつ便利なシステムだ。こうした仲介役の存在も、大学における贈収賄が組織的におこなわれていることを示しているといえよう。

当然ながら、すべての学生や教師が贈収賄に手を染めているわけではない。より厳格でクリーンだとしばしば評されるのが、「ソ連時代からの教師」(prepodavatel' sovetskoi zakalki)である。「よそ者」の存在も影響するらしい。ある国立大学卒の若手研究者の女性は、大学全体としては腐敗が蔓延していたものの、彼女がかつて学び、また教師として教えた東洋学部は、それとは無縁だと断言した。彼女はその理由を、就職に有利とされる学部とは異なり、本当に勉強したい学生だけが専攻する傾向が強いことに加え、「外国人の先生が多いから」と説明する。

卒論売ります

学位論文の執筆代行もさかんだ。新聞を開けば堂々と広告が載っている。給料だけでは食べていけない学者たちが、書き手を引き受けているという。お金をもらって博士論文を代わりに書いたことがある、と筆者に打ち合けたのも現役の大学教員だ。

しかし、元大学教員のカルルガシュにはやや驚かされた。彼女は、指導した学生が卒業論文を買ったのをとがめなかったばかりか、それを一緒に書き直し、最高評価の「五」を取ったことを自慢げに話してくれたのだ。業者をみつけてきたのは学生本人だが、カルルガシュは文章の編集や、卒論発表会のプレゼンテーションの準備を手伝った。彼女はそんな自分を「演出家のようなもの」と評する。

カルルガシュが卒論の購入に寛容なのは、自分にも似たような経験があるからかもしれない。二〇〇〇年代半ばに博士号の取得を目指していたとき、毎年一定数の論文をジャーナルに発表せよという条件が課されていた。期限までにこの条件をクリアできなかった彼女は、三本の論文を一本あたり五〇〇〇テンゲ（四〇ドル）で買ったのだという。

だが、そうした卒論の購入が発覚することもある。カルルガシュが所属していた学部では、ある学生の論文の内容がその前年、他大学に提出された論文と瓜二つであることが判明した。関与したのは大学に勤務していた助手である。彼らは学生から「注文」を受けると、似たようなテーマで書かれた論文がないか他大学の助手に調べさせ、コピーを入手して副収入を得ていた。こうした売買自体はよくある話だそうだが、この学生は「買った相手が悪かった」。つまり見つかってしまったのは、コピー元が同じアルマトゥ市内の大学に提出されたもので、しかもあまり時間がたっていなかったためだ。ちなみに、卒論を買った学生は結局、無事に大学を卒業した。教師の大部分が、自分たちの責任問題になりかねないスキャンダルを公にすることを望まなかったのである。

わざわざお金をかけたりせず、自分で論文をコピーする学生もいる。

リャザットは工業大学を卒業したばかりの若い女性だ。リャザットが学んだ大学では剽窃が事実上容認されており、彼女もインターネットで見つけた他人の論文をほぼそのまま書き写して提出した。教師たちは「あなたたちの卒業論文なんて誰も読まないし、コピーしているのも知っている」と言い、論文執筆よりも就職活動に力を入れろと助言したという。リャザットは「時間を無駄にしないで済んだ」と、感謝していた。

大学には剽窃を発見するためのプログラムを使って論文をチェックする部門があるが、そこの職員はカネを払えば見逃してくれる。リャザットによれば、論文をチェックする職員に不利な判定をされないよう、自力で論文を書いた学生も含め、全員が賄賂を払っていた。彼女自身は七〇〇〇テンゲ（二一ドル）を払って「四」評価を得た。完成した論文を買うことも可能で、最低価格は一五万テンゲ（四六〇ドル）。その場合は、剽窃チェックも不要で、審査済みであることを示す先生たちの署名もセットになっている。だから、大学に一切行かなくてもよい。

　大学院の学位を取得する際には、まじめに勉強し自力で論文を書いたとしても、さまざまな経費が発生する。論文の審査員や口頭試験に出席する教授に対する接待が、しばしば必要になるからだ。非公式な「謝礼」のほか、学位取得を祝うパーティーの開催に加え、教授らの旅費や滞在費などを負担させられたり、彼らの著書を購入しなければならないこともある。

「プレゼント」と口利き

　現金が好まれるのはたしかだが、教師に渡すのはカネとは限らない。食器セットや装飾品など、高価なプレゼントを学生自身が選ぶこともあるが、教師みずから具体的な物品を要求することもある。携帯電話のプリペイドカード、歯の詰め物、寝具セット、紙おむつなど、実用的でおよそプレゼントらしくない品々を、恥ずかしげもなく「注文」する教師もいるという。

　経済体制の転換にともなう混乱が続いた一九九〇年代には、「現物払い」もしばしばあった。一九九〇年代後半に大学で学んだ女性は、テストはすべてきちんと受けたが、ひとつだけ合格点に達しない科目があった。そこで彼女の母親が大学関係者（彼女の推測では、おそらく学部長だ）に渡したのは、鶏肉と卵。母親の勤務先が鶏卵工場だったからだ。この女性は笑いながら「母はこんなに大きな袋に詰めて持っていったんですよ」と、両手を大きく広げてみせた。目立ちすぎではないかと思うが、当時、賄賂代わりの品物をキャリーバックに入れて持ち運んでいるのは、よくある光景だったそうだ。

最近ではあまり聞かないものの、かつては労働力の提供という方法もとられていた。筆者の知人男性によると、一九九〇年代に彼が勤めていた地方大学では、自家用車による送迎、郊外のダーチャ（セカンドハウス）での肉体労働などと引き換えに、授業を欠席した学生に単位を出す教師も珍しくなかったという。

単位取得には大学関係者のコネも役に立つ。ある私立大学の教員は、試験期間になると研究室の前に行列ができる、と話す。並んでいるのは学生ではなく、同僚の教師だ。親戚や知り合いに頼まれて、単位を与えたりよい成績を付けてくれるよう、お互いに口利きをしあうのである。

大学幹部のコネはより有力だ。学部長や学長は教師に対して、特定の学生に高評価を与えるよう圧力をかけることがある。そうした学生たちはたいてい、授業にはほとんど出ず、試験の準備もしない。なかには理不尽な要求に抵抗する教師もいるが、解雇のリスクにさらされながら自分の信念を貫くことは容易ではない。

三　学校と保育園

試験解答は先生に聞け

カザフスタンでは毎年、学校の卒業試験と大学入学試験を兼ねた全国統一試験（ロシア語の略称は

ENT）が実施されている。読解、数学、カザフスタン史および選択科目の計五科目からなり、回答はマークシート方式である。国立・私立を問わず、ENTの結果によって大学の入学資格が決まるため、受験生もその親も、少しでもよい点をとろうと必死になる。希望校への進学がかかっているのはもちろんだが、ENTで高得点をあげれば奨学金が受給でき、授業料が国庫負担となるからだ。ちなみに二〇一七／一八年度に高等教育機関で学んでいた学生のうち、国の奨学金を受給しているのは全体の二九パーセントだった[10]。なお、奨学金を得られる点数の基準は大学や学部によって異なり、毎年変動する。

二〇〇四年にENTが導入された際には、入試手続きを統一化して個々の教育機関における恣意的選抜を排除し、腐敗を減らすことが目指されていた。しかし、その目的は残念ながら達成されていない。現実には、ENTの点数や回答、試験会場での便宜などが、しばしば公然とカネで取り引きされているからだ。

家政婦のサウレはカザフスタン南部のタラズ出身で、長男は離婚した夫とタラズに住んでいる。サウレたちは息子の受験のために三〇〇〇ドルを用意した。息子は成績優秀だったが、「確実に奨学金をもらえるように」カネを払うことにした。希望する医学部は、専攻にもよるが卒業まで五、六年かかり、学費は年二〇〇〇ドルを超える。三〇〇〇ドルの賄賂を払っても十分元が取れるのである。

興味深いことに、非公式な取り引きにおいても、ある程度の能力主義は考慮されているようだ。生徒の成績と無関係に、非常に高い点数を「買う」ことは難しいといわれる。また、生徒の実力に見合

4年生の修了式（アルマトゥ）［D. Satpaev 撮影］

わない高得点はかえって目立ってしまうため、「ちょうどいいくらい」の点をつけてもらったほうがいい、という親もいた。

ENTについて話を聞くと、「保険をかける」という表現をしばしば耳にするが、これには二つの意味がある。ひとつは、マイナス評価を避けるための「保険」だ。多くの保護者は、ほかの親たちが賄賂を払っていると考えている。自分だけがなにもしなければ子どもが不利になるのではという不安から、カネを払うのである。もうひとつは「ストレスから子どもを守る」ための保険だ。カザフスタンに限らないが、受験に失敗して将来を悲観し、精神的に追い込まれて自殺してしまう生徒もいるからである。

他方、望む結果が得られず、払い損になることも珍しくない。これは贈賄一般にいえることだが、とくにENTについては、いとも簡単に騙される人が多いことには驚きを禁じえない。「学長を個人的に知って

アフメトヴァ校長先生と入学予定の子どもたち［G. Akhmetova 提供］

いる」とか、「国家保安委員会にコネがある」などと言葉巧みによってくる詐欺師に、数千ドルという大金を払ってしまうのである。かわいい我が子の将来がかかっていると思うと、判断力が鈍るのだろうか。

こうした詐欺行為に学校関係者が加担する場合もある。図書館員の女性の娘がＥＮＴを受験したときのことだ。夕方、校長が最終学年の生徒全員の保護者を学校に集め、カネを出せば事前に解答を教えると申し出た。それを聞いた親たちは「大喜びした」。なぜ入手できたのかをいぶかったり、教育者にあるまじき行為だと憤慨したりすることもなく、校長の要求に応じたのである。しかし過保護な親心は裏目に出た。校長からもらった答えは実際に出題された問題に対応しておらず、その暗記に時間を費やした生徒たちは、試験で低い点しかとれなかった。

ＥＮＴの試験監督を務める教師みずからが、袖の下と引き換えに不正の手助けをすることもある。そういう教師は、受験生が携帯を持ち込んだり、制限回数を超えてトイレに何度も行ったりするのを黙認する。生徒はトイレ休憩を利用して、試験会場の外に待機している別の教師に電話やＳＭＳ（ショートメッセージサービス）で答えを聞いたり、トイレに付き添った教師に教えてもらったりする。また、試験中に教師が生徒の脇に立って解答を手伝うことすらあるという。

こうした実態について詳しく語ってくれたのは現職の校長、グリザダ・アフメトヴァ氏だ（二〇一一年当時）。彼女はアルマトゥから東に五〇キロのところにあるボレク村の名士であり、地元行政の幹部を務めたこともある。

それにしても、あまりにも露骨ではないだろうか。

もちろん、そうした不正行為を目撃した生徒たちは抗議していますよ。ネットでもたくさんの苦情が書き込まれています。だれだれの横で先生が答えを教えていたとか、一〇回もトイレにいった子がいたとか、三つも携帯を持ち込んでいたとか。なかには（不公平な扱いに）ショックを受けて泣き出す生徒もいます。

不正が学校ぐるみでおこなわれる背景には、教育関係者へのプレッシャーもある。生徒たちの点数が悪いと、教師や校長、さらにその学校がある行政区域の教育局が責任を問われるので、役人は校長に、校長は教師に、結果を出せと圧力をかける。そのため、なかには不正をしてでもよい点をとらせようと、教師みずからカンニング用紙や携帯電話の使用を黙認するところもある。

アフメトヴァ氏によれば、二〇一三年以降、ＥＮＴは国家保安委員会と教育科学省のスタッフの監督下でおこなわれることになり、教師の関与はなくなったという。しかしいずれにせよ、「ＥＮＴの点数がカネで買える」という認識は変わっていない。ＥＮＴに関する情報は国家機密とされ、国家保安委員会の厳重な管理下にあるのが建前だが、流出を完全に防ぐことはできていないようだ。

寄付か強制か

義務教育である公立学校への入学でも、袖の下が必要になることがある。渡す相手は校長か、その学校を管轄する地区の教育局である。

大学教員のディナーラは、校長に心付けを渡すことに成功して、ようやく娘を自宅近くの公立学校に転入させることができた。そもそも住居が学区内にあるので優先的に入れるはずなのだが、最初は定員オーバーで空きがないと断られたのだ。実際、その学校には定員をはるかに超えた数の生徒がいるそうだが、ディナーラはその理由を「コネや賄賂で子どもを入れた人が多いから」と説明する。

自宅から離れた学校に娘を通わせながら、近所の学校の校長に何度も頼みにいったが、結果が出ないまま一年がたってしまった。送迎の負担に音を上げそうになっていたころ、たまたま再会した元同僚が、自分の娘をその学校に通わせていることが判明した。ディナーラは元同僚の娘の担任を通じて校長に三〇〇ドルを渡したが、「安く済んだ」と満足気だった。その何倍もの金額を払った人がいる、という話を聞いていたからである。

校長はふつう、入学希望者の親と直接やりとりをすることはせず、教師や信頼できる別の保護者などを仲介人にする。まったく知らない相手からカネを受け取るのはリスクがあるからだ。マスコミに暴露されるかもしれないし、腐敗取り締まりキャンペーンのおとり捜査かもしれない。安全を期するため、学校の設備の購入や、修繕費用の負担という形をとることもある。

元石油会社社員のカザフ人男性は、娘にカザフ語をしっかり身につけてほしいと考えたが、アルマトゥ市内の学校はロシア語で授業をおこなっているところのほうがまだ多い。近所の学校はカザフ語で学ぶことができ評判もよかったものの、それゆえに希望者も多く空きがなかった。そこで学校に掛け合うと、校長は入学したら娘が使うことになるという教室を見せ、ここに質のいいリノリウムを貼ってもらえませんか、と頼んだ。つまり、そうすれば入れてあげますよ、とほのめかしたのだ。彼はすぐに二人の作業員をみつけ、学校に行って教室の寸法を測り、必要な道具や材料を買ってから、作業員を校長に引き合わせた。

このように希望校に子どもを入学させるために賄賂を使う場合もあるが、学校関連の出費でより一般的なのは、校舎や教室の改修、備品や消耗品の購入、警備、清掃などを理由に、親からお金を徴収するケースである。保護者は「学校基金」あるいは「学級基金」に定期的な寄付を求められる。集金の頻度は、毎月であったり、年に一回だったりとばらつきがある。金額は、月ごとなら数ドル程度であることが多いが、原則として全生徒から徴収するので、学校全体ではかなりの金額にのぼる。学校によっては、親たちがみずから現物を調達して渡すところもある。

設備の修繕や備品購入等を名目とした集金については、保護者の意見は割れている。一方で、学校予算は限られているのだから、わが子が気持ちよく勉強するためなら多少の出費は仕方がない、という人たちがいる。他方、そもそも公立学校の設備維持には国の予算が割り振られているはずだから、親に負担を求めるのはおかしい、という考えもある。こう主張する人たちは、自分たちが出したお金や資材は、その全額ないし一部が校長のポケットに入っているか、学校予算を着服した穴埋めに使われているのではないか、と疑っている。

カザフスタンでは、親がクラス担任にプレゼントを贈る機会も多い。教師の日、新年、国際婦人デー（三月八日。学校の先生は女性が多い）などの記念日や祝日、担任の誕生日などに、保護者会でお金を出し合い贈り物をする習慣があるのだ。さらに個人の判断で直接、心付けやプレゼントを渡す親もいる。

教師への贈り物について意見を聞くと、「たくさんの子どもの面倒をみるのは大変なこと」、「ちゃんと教えてくれるなら親は喜んで払う」、「薄給の教師に金銭的援助をするのを賄賂だとは思わない」という答えがしばしば返ってきた。ただし学校によっては、毎回、生徒一人あたり数千テンゲを集めて教師に渡したり、教師みずから高額な品物を要求したりするケースもある。負担があまりに大きいと、当然ながら反発も出るようだ。

保活も大変

子どものためにカネやコネを使うのは、就学前教育も同様である。

ソヴィエト政権は、学校教育だけでなく就学前教育にも力を入れていた。それは単に、幼児教育を重視していたからだけではない。計画経済のもと、労働可能な成人は男女を問わず国によって仕事を割り振られていた。核家族化が進んだ都市部では、親が働いているあいだに子どもの面倒を見る大人がいない家庭も多く、保育施設は必須だったのだ。

ソ連崩壊後は、財政難で多くの保育園が閉鎖された。公式統計によると、カザフスタンでは一九九一年に九〇〇〇近くあった保育園が、最低値を記録した二〇〇二年には一一〇〇を下回った。ソ連時代に一〇〇万人を超えていた園児数も、一時は一〇万人台にまで激減した。しかし二〇一〇年以降、保育園は早いペースで増え続け、公立・私立の内訳は不明だが、二〇一五年には全体として独立時の数値に戻している。

カザフスタンの保育園は大別して、一歳児から六歳児までを預かる「託児所＝保育園」と、三〜六歳児が対象の「保育園」がある。保育料が比較的安い公立には入りにくく、私立は保育料が高いが、この点は日本の認可保育園と認可外保育園の違いに似ている。ただ日本のように、乳幼児を預かる福祉施設としての保育園と幼児教育が目的の幼稚園、という区別は存在しない。公立保育園の場合、住んでいる地区の教育局に入園を申請するが、子どもの出生証明書があればいつでも申し込むことができる。いまはオンラインでも手続きが可能なので、その点では先進的だ。

保育料がリーズナブルな公立保育園は、やはり人気がある。また費用面からだけでなく、私立保育園への不信感から公立を選ぶ親たちもいる。立派な設備やかわいらしい内装、工夫を凝らした幼児教育プログラムなど、至れり尽くせりの園もある一方で、マンションの薄暗い一室に子どもたちを押し込め、少ない保育士でやり過ごしているようなところもあるからだ。その点、公立保育園は一定の水準を満たしているから安心できる、というわけである。

公立保育園の枠を得るために園長や教育局の役人にカネを渡すのは、ごくありふれた行為である。なかには保育園の「基金」への寄付という体裁をとったり、備品や消耗品などの現物提供と引き換えに入園を認める園長もいる。必要な金額の相場は、二〇〇〜五〇〇ドル程度である。他方、私立保育園の保育料は、施設やスタッフの数、保育・教育内容などによって異なるが、公立の数倍かかるのは確実だ。何年か通うことを考えると、賄賂を払ってでも公立に入れたほうが私立に通わせるよりも安く済むのである。

私立保育園は最初に、数万テンゲの入園料を課すところも多い。ちなみに筆者は二〇一一年、当時二歳だった息子をアルマトゥにある私立保育園に預けたが、入園料は五万テンゲ（三四〇ドル）、保育料は月額六万五〇〇〇テンゲ（四四〇ドル）だった。アルマトゥの私立保育園としては、平均的な金額だったのではないだろうか。

四　腐敗の再生産

非公式なカネの流れ

これまで述べてきたように、カザフスタンの教育分野における不正はこっそりおこなわれる例外的な行為ではなく、日常的に、かつしばしば公然となされている。教育関係者による組織的関与、賄賂の相場、学生と教師の仲介役の存在などは、教育機関における贈収賄が事実上、制度化されていることを示唆している。注意すべきは、生徒の保護者や学生が払う賄賂は、単に教師のポケットに納まっているだけではない、という点だ。そのカネは組織のなかで分配されるとともに、教育行政を担う幹部に吸い上げられていくのである。

教育科学省の地方組織である教育局は、各州およびヌル＝スルタン、アルマトゥおよびシュムケントと、その下の区に置かれている。それぞれが州・区の地方行政府の長の影響下にあり、物理的にも同じ建物のなかにある。図5－1は、区レベルのピラミッド構造を図式化したものである。校長職は公募だが、その任命権を握る教育局長が、人事や予算配分を通じて校長に影響力を行使する。教師の採用は校長の裁量による。

生徒の保護者は、賄賂と引き換えに、希望校への入学、成績の水増しなどの非公式な便宜を受けるが、渡す相手は目的や、自分が持っている人脈によって異なる。たとえば、子どもを入学させたいときには、校長もしくは教育局にかけあう必要があるが、どちらかに強いコネがあればそれを使うのがベストだ。

下から上へと流れる非公式なカネには、保護者から集めたカネだけでなく、公職の「代金」も含まれる。教育局長のポストをカネで買った事例を第2章で紹介したが、教職の購入も可能だといわれている。教師になりたければ校長あるいは教育局長へ、校長なら教育局長や区長に賄賂を贈る。教職がカネで売られれば、教師の質が下がるのは当然だ。教える能力や意欲に欠けた人物でも教師になれてしまうからである。

教育分野における腐敗の要因としては、教師の給与の低さがしばしば指摘される。給与が不十分だと収賄に手を染めやすいという説明は、教師に限らず、公的機関に勤める職員の腐敗に関するもっとも一般的な定説である。しかし実際には、公式収入の不足を補うために賄賂を取っているだけでなく、非公式な副収入を当てにして職を買っているのである。

このピラミッドの内部では上から下に指示が伝えられ、カネは下から上に流れる。こうした非公式なカネの分配や上納は、組織内の一体性を高めることにもつながる。メンバーがこのシステムから利益を得ると同時に、お互いの弱みを握ることになるからだ。他方で、暗黙のルールに異議を唱える者は排除される。

学校における不正で中心的役割を果たしているのは校長である。校長は入学枠、生徒の成績や試験の点数、あるいは人事についての決定を、非公式な収入源として利用している。現役教師を含む教育

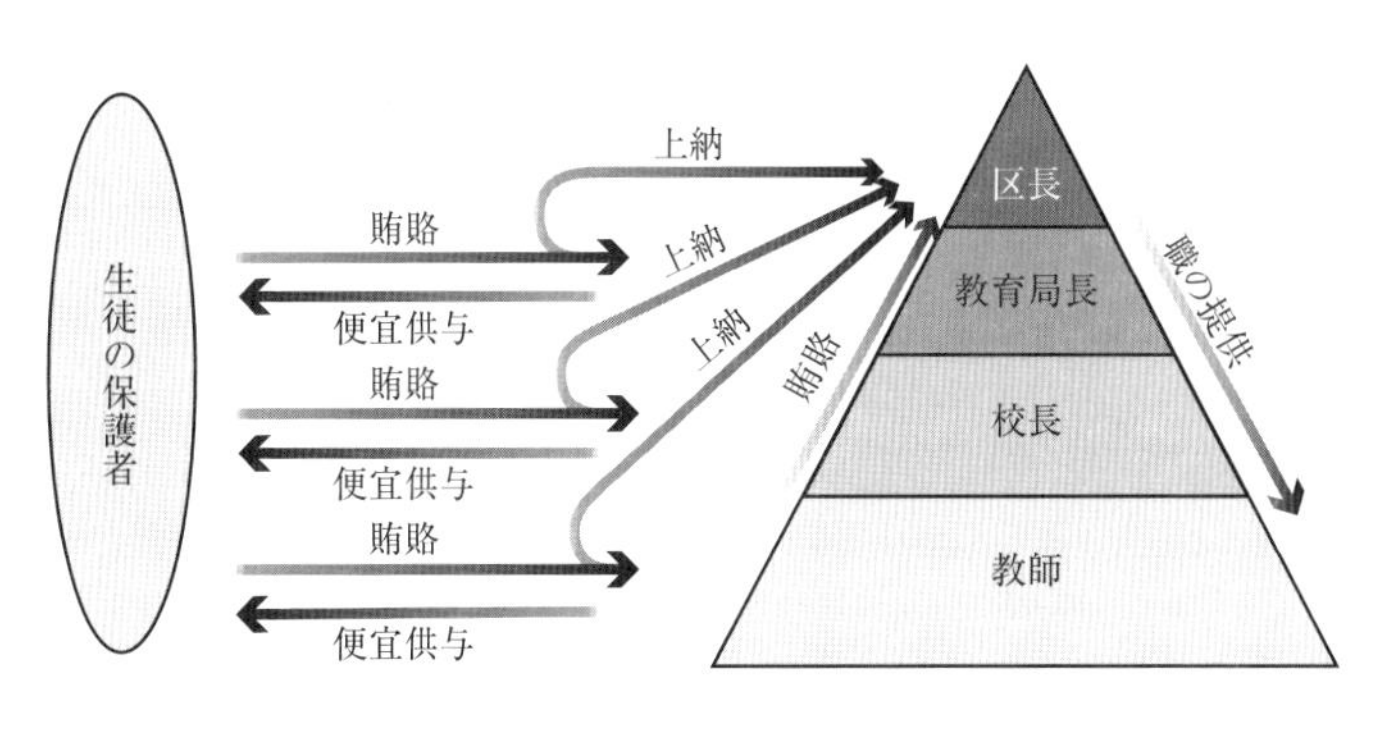

図5－1　初等・中等教育機関における腐敗構造（区レベル）
出所：筆者作成

関係者によれば、校長職の相場は数千から一万ドル、有名校だと一万五〇〇〇ドルというところもあるようだ。これだけの金額を払ってでも職に就こうとするのは、保護者から集めるカネで十分、元が取れるからである。

その一方で校長は、教育局に対しては逆らうことのできない弱い存在だ。役人たちは教育機関に対し、予算配分、審査、認可や監査などを通じて圧力をかける。アルマトゥで学校支援をおこなっているNGOによれば、五年ごとに実施される審査の時期になると、役人に支払うカネの相場が話題になる。法令違反を発見され、罰金を科されるのを防ぐためである。ちなみにその団体が支援する学校は二〇一五年、教育局に七〇〇〇ドルを渡したという。

こうしたカネはどこから出るのか。校長はみずから負担しつつ、教師たちにも「協力」を求める。

エレーナは、二〇一〇年に教員資格の審査がおこなわれた際、同僚とともに一人あたり二〇〇〇テンゲ（一四ドル）ほどのカネを出し合い、「上の機関」に渡した。エレーナは、次の審査までの五年間、「心安らかに眠る」ことができるのなら二〇〇〇テンゲは惜しくない、という。だが彼女も、ボーナスのピンハネ（otkat）には憤慨していた。一〇月の第一日曜日に祝われる「教師の日」にはボーナスが出る。その金額は当初、二万五〇〇〇テンゲといわれていたのだが、実際にもらえたのは二万テンゲだった。差額はどこにいったのかと聞いても、「あなたには関係ない」と言われるだけ。こんな仕打ちを受けても教師たちが黙っているのは、失職を恐れているからだ。

なぜって、人はめったにシステムに逆らおうとしないから。いずれにしても、システムがなんでも押しつぶしてしまう。もし抗議するような人がいたら職を追われるだけでなく、別のところで仕事をみつけるのも難しい。「あの人は苦情ばかりいう人」というレッテルを貼られてしまいますから。

このほかにも教師たちは、教材費や教員室の修繕費用、さらには監査機関の出張費など、本来なら公費で賄われるべきさまざまな費用を負担させられている。こうしたカネもまた、事実上、職を維持するための必要経費なのである。

白いカラス

すでにみたように、公立学校はそれぞれの地区の教育局の管轄下にあり、学校がらみの贈収賄にも役人がしばしば関与している。これに対し、それぞれが独自の特色を持ち、高度な専門性を持つ研究者を擁する大学は、より自律性の高い組織だ。許認可や審査等を通じた行政の介入という問題は大学にも存在するが、行政との関係は教育局と公立学校ほど垂直的ではない。ちなみに国立大学の学長は、以前は教育科学大臣が任命していたが、二〇一六年以降、公募を経て「共和国競争委員会」が決定する方式に変わっている。

また、高等教育機関は中央政府の管轄である。地元の教育局とは異なり、一般市民がヌル＝スルタンにある教育科学省の役人にアクセスし、口利きを頼むのはなかなか難しい。そもそも大学の場合は、省庁を経由して便宜を図ってもらうより、学内の有力者にかけあったほうが手っ取り早く、効果も高いだろう。

公職売買についても、大学は事情がやや異なる。高等教育機関で教えるには、特定領域に関する高度な専門知識が不可欠である。いくら大金を積もうがカネだけで大学教員になるのは不可能だ、というのが、関係者の一致した見方である。もちろん、初等・中等教育の教師も専門性の高い職業であり、本来は誰でも簡単になれるものではないのだが。ただし、教育や研究に関する一定の能力を備えていれば話は別だ。コネがあればあきらかに有利だし、カネが効力を持つこともある。実際に、袖の下を使って別の大学に移ろうとした、と打ち明けてくれた大学教員もいる。

このように、高等教育機関における行政の関与や公職売買は、学校について言われるほどあからさまではない。他方、収賄が教師の個人的利益のためだけでなく、しばしば組織的におこなわれている、という点においては、大学も学校と同じだ。教員同士が収賄を黙認・共謀するだけでなく、カネを受け取った学長や学科長が教員に対し、特定の学生によい評価をつけるよう強要することもある。なかには抵抗したり、うまくかわす人もいるが、従わなければ解雇されるリスクもある。

大学教員のサルタナトは、カザフ文学の博士候補論文の審査前におこなわれた専門科目試験で、試験官が不正への加担を余儀なくされたのを目撃した。その教授は、サルタナトと一緒に試験を受けた学生たちに不合格を言い渡した。最初から賄賂でパスするつもりだったので、試験準備をしていなかったのだ。しかし彼らは秘書を介して、それぞれ一万テンゲを払っていた。サルタナトが金額まで知っているのは、学生たちが彼女の目の前で、臆面もなくそのことを話していたからである。そのカネは学科長に渡っていたようで、教授は結局、全員に最高点である「五」をつけざるをえなかった。

大学の教職員たちは、収賄に手を染めざるをえない事情について語る際に、しばしば「白いカラス」という表現を使う。これは「周囲から浮いている変わり者」を意味するロシア語の慣用句である。教員にしろ事務職員にしろ、学生からカネをとることが当然視されている職場で、自分一人がそれを拒否すれば「ルール」に異を唱える厄介者扱いされてしまう、というわけだ。

変わる価値観

教育分野の不正がもたらす教育の質の低下は、人材育成という観点からみて社会に大きな損失を与える。だが、それ以上に深刻なのは、贈収賄を当然視する価値観の形成だろう。子どもたちは、親が自分のために賄賂を使っていることを知っている。大学生になれば、自分でお金を払って成績や卒業論文を買ったり、医者を買収して証明書をもらい、病気を理由に授業をさぼったりするようになる。

当然のことながら、カザフスタンの教師や学生、生徒の保護者すべてが不正に手を染めているわけではない。自分は決して賄賂を受け取らないという教師もいるし、不正とは無縁だという評判の大学も存在する。しかし、多くの若者が社会に出る前からコネや賄賂の利用を「ルール」として学び、かつ実践しているのも厳然たる事実だ。そんな彼らが、「すべてはカネとコネで素早く解決できる」と考えるようになってしまうのも無理はない。

息子がＥＮＴを受けた際に、賄賂を払った母親はいう。

「あの子は親が賄賂を使ったことをもちろん知っていますよ。子どもたちはこの「法律」に従わなければ、生きていけないのだから」。

健康食品販売の仕事をしているナルギスはまだ四十代半ばだが、もうすぐ七歳になる孫娘がいる。その女の子は成績優秀だったが、オール「五」にあと一科目だけとどかなかった。孫の母親、つまりナルギスの娘はこれを残念に思い、学校に成績をつけなおしてもらえないか頼んだ。すると学校側は、来年度はしっかりがんばるという約束で、唯一の「四」評価だった音楽を「五」にしてくれたのだという。交渉しだいで成績が変わるのも意外だが、もっと驚くのは、それを聞いた孫娘のコメントだ。

「ママ、お金払ったの？」

学校におけるコネの利用や金品の授受は、ソ連時代にもおこなわれていた。しかし、かつては発覚を恐れ、人に隠れてこっそりとやっていた、というのが大方の見方だ。それに対し、いまでは入学枠、試験の点数や成績、学位論文まで、あらゆるものがカネで取り引きされ、しかもそれがほとんど公然の秘密となっている。

長年にわたり子どもの教育に携わってきたアフメトヴァ校長は嘆く。

（独立後の）二〇年あまりで、私たちは仕事のできない世代を育ててしまいました。子どもたちはまわりが自分のためになんでもやってくれて、いつもお金で解決するのをみて育ってしまったから。そういう子たちは学校を卒業して大学に入っても、賄賂で成績を買うようになります。

いまの若者はソ連時代に教育を受けた世代から、「あらゆるものが売り買いされるのを見て育った」と評されている。年齢に関係なく、カネで物事をすばやく解決するのはもはや常識だ。ただ、社会主義時代を経験している人びとは、贈収賄に対して自分たちが持つ後ろめたさや罪悪感が、若い世代には欠けているのではないか、と感じている。独立後の混乱期しか知らない若者たちには道徳的な基盤がない。そう語る人たちもいた。

賄賂をあたりまえのこととして受け入れ、世のなかはカネしだいだと考えている。上の世代がこう慨嘆する若者たちだが、彼らはまぎれもなく、大人たちがつくった社会の落とし子なのである。

第6章　ヒポクラテスが泣いている

一　医療システムの変容

はびこる贈収賄

「公立病院はどこもかしこもサイテーよ。出すものを出さなきゃ、人間扱いされないから。まともな治療を受けたければお金を払うしかない」。

これは大けがをして公立病院に救急搬送された、ある女性の発言である。彼女が言っているのは治療費ではなく、医師や看護師などへの賄賂のことだ。

これまでの章でみてきたように、贈収賄やコネの利用はあらゆる分野に存在する。だが、一般の人たちがもっとも強い怒りを感じているのは、医療分野の腐敗ではないだろうか。もちろん、試験のたびに露骨に袖の下を要求する教師や、なにかと言いがかりをつけては商売の邪魔をする警官も、市民の反感を買っている。しかし、必要なときにきちんとした医療サービスを受けられるかどうかは、人びとにとって最大の関心事のひとつであり、時として生死にかかわることでもある。自分や家族が病気やケガで困っていて、すぐにも手当てが必要なとき、頼りになるはずの医者から「まずカネを出せ」と言われたら、憤慨するのも無理はない。

カザフスタンを含む旧社会主義諸国では、かつては国が無償の医療サービスを提供し、国民の側もそれを当然視していた。しかし体制転換後、社会保障関連の予算は軒並み大幅にカットされ、公費で受けられる医療サービスは限定的となった。さらに、公立の医療機関はどこも長蛇の列で、延々と待たされる。そのため、できるだけ早く、あるいは腕のいい医師の治療を受けるために、非公式にカネを払うことが常態化している。新たに民間の病院やクリニックも開設されたものの、治療費が割高で気軽に受診しにくい。

医師や看護師に金品を渡す習慣は、市場経済化後に突如として始まったわけではない。社会主義経済下で「非生産的」とみなされた医療分野は、予算配分上の優先順位は低かった。過度な中央集権化と非効率な運営もあって、医療サービスは当時から不足がちだった。そのため、よりよい治療を受ける目的で贈り物をしたりコネを使ったりすることは、ごくふつうにおこなわれていた。

だが、ソ連時代を知る世代に聞くと、いまではモノよりもカネが中心になり、渡す頻度も金額も増えた、と答える人がほとんどである。よい医者に診てもらうためには、コネはいまも重要な役割を果たしているが、親族や知人の紹介であっても、医師本人にはそれなりの謝礼が必要だ。

もっとも、医師への付け届けは日本でもみられる慣行だ。近年、多くの病院が「一切お断り」と宣言してはいるものの、実際には心付けを個別に受け取る医師もいるらしい。病気やけがを治してくれた恩人に謝意を表したいと思うのは、制度や文化の違いにかかわらず人として自然な感情なのだろう。しかし日本との違いは、カザフスタンではしばしば心付けの範囲を超え、事実上のゆすりがおこなわれていること、また患者の側も本来なら手に入らないさまざまな便宜をカネで買っている、という点にある。健康にかかわる証明書類を素早く入手したいとき、診察や検査をスキップできるのは「便利」でもある。

医療分野におけるカネのやりとりには、これまで紹介してきた他の分野の贈収賄とはやや異なる特徴もある。虚偽情報を記した証明書の発行などの不正行為は別として、医療者に直接渡すカネはしばしば、「治療に対する対価」という点では公式な治療費と同じだ、とみなされているのだ。それというのも、非公式な金銭の授受が当然視されているなかで医療サービスの有料化が進んだため、患者の側からすると、医師に直接金銭を手渡すことと医療機関の窓口で治療代を払うことは、本質的に似通った行為になる。いいかえれば、有料サービスの導入により、公式・非公式の境界線があいまいになったともいえる。この点は、後であらためて触れることにしよう。

福祉の縮小

一九九一年のソ連崩壊に続く数年間、この地域の医療はきわめて深刻な状況に陥っていた。連邦解体による混乱と深刻な経済の低迷が続くなかで、各国政府は社会保障関連の予算を大幅に削減せざるをえなかった。それに拍車をかけたのが経済自由化である。カザフスタンは旧ソ連諸国のなかでも、もっとも急進的な改革をおこなった国のひとつだ。医療分野への公的支出は、絶対額だけでなく対GDP比でも大幅に減少し、医療施設の閉鎖、低賃金や給与未払いによる医療者の離職が相次いだ。新たに民間のクリニックや病院の開業が認められたものの、公的医療サービスの減少を穴埋めするにはほど遠く、医療事情は一気に悪化した。

その深刻な影響は平均寿命の大幅な短縮にも表われている。自殺者の増加、アルコールをはじめとする依存症罹患率の上昇などとならんで、医療サービスの質・量の低下も要因のひとつであることは間違いない。カザフスタン住民の平均寿命は、一九九一年には男性が六二・六歳、女性が七二・四歳だったが、一九九五年にはそれぞれ五八・〇歳、六九・四歳にまで縮まっている。独立前の水準に回復したのは、ようやく二〇〇九年になってのことだ。

一九九六年初めには国民皆医療保険制度が導入されたが、この試みは開始から三年で失敗に終わっている。当初の計画では、被雇用者はその雇用主が、自営業者はみずから保険料を納め、就業困難な社会的弱者の保険料は地方行政府が負担することとされた。しかし、そもそも給与の遅延や未払い、高い失業率が社会問題化し、財政も悪化するなかで、こうした保険料徴収の仕組みは十分に機能しなかった。

カザフスタンの政治学者ディーナ・シャリポヴァは、福祉の縮小と社会保障分野に対する公的支出の削減こそが、贈収賄やコネの蔓延を引き起こした主な要因である、と主張している。医療サービスが減少した一方、経済自由化は必ずしも良質なサービスの供給にはつながらなかった。その結果、限られた資源をめぐる競争はむしろ激化し、人びとはカネやコネを使って、それらにアクセスしようとしたのである。(1)

有料サービスの拡大

一九九〇年代に大幅に落ち込んだカザフスタン経済は、豊富な天然資源をテコに、二〇〇〇年代以降は高成長へと転じた。これにともなって医療分野への公的支出も増やされたものの、社会主義時代のような、無料で診察や治療を受けられるシステムに回帰したわけではない。カザフスタン憲法によれば、国民は法が定める範囲で無償医療サービスを受ける権利を有する(第二九条二)。別の言い方をすれば、それを超えた分はお金がかかるということだ。

現行では、二〇〇四年秋に導入された「無償医療保障範囲」(ロシア語の略称はGOBMP)の枠組みにもとづき、公費負担の範囲が定められている。このパッケージは二年ごとに見直されるが、二〇一七年時点で、救急医療、「社会的に重大」とされる疾患や感染症(がん、糖尿病、心筋梗塞、リウマチ、結核、B型肝炎、C型肝炎、エイズなど)、予防接種が含まれている。また、未成年および生殖可能年齢の女性や、特定の疾患を患う患者に対しては、医薬品も無料もしくは低価格で提供される。

GOBMPに含まれる医療サービスや医薬品に料金を課すことは違法だ。しかし実際には、患者はしばしば、費用を負担しなくていいはずの治療や薬に対する支払いを余儀なくされている。一般の人びとは、どのサービスや医薬品が無料なのかについて、必ずしも詳しい情報を持っていない。また、入院患者に対する医薬品は本来、病院が負担することになっているものの、もし「在庫がないから自分で用意しろ」と言われれば、患者は薬局で購入するか、医師や看護師にカネを渡して入手するしかない。実質的に他の選択肢がないのである。

二〇一〇年以降は、民間のクリニックや病院も公費負担による医療ケアを提供することが可能になった。同年一月に「統一国民医療システム」が導入されたからだ。その狙いは、患者に選択の自由を与え、医療機関のあいだの健全な競争を促すことにある。それまでは、公費での診療は公立の医療機関、しかも住民登録している地域のクリニック（およびそこで紹介された専門病院）でしか受けることができなかった。だが、新システムの導入によって、民間のクリニックや病院も選べるようになった。GOBMPに含まれるサービスのうち、民間医療機関によって提供される割合は、二〇一四年には二七・四パーセントに達している。[2]

他方、公立の医療機関も有料サービスの提供を認められている。筆者の知り合いにも、ワンランク上のケアを求めて、公立病院の「有料セクション」を利用している人たちがいる。たとえば、入院患者用の病室であれば専用のテレビや冷蔵庫が設置されており、医師や看護師がこまめに巡回してくれるそうだ。裏を返せば、無料の場合には入院中に十分なケアを受けられない現実がある、ということだろう。

有料サービスの利用であれ、医療者に対する心付けであれ、医療関連の出費は多くの人びとにとって重い負担となっている。もっとも深刻な影響を被っているのが低収入の世帯だ。医療支出は、絶対額では富裕層のほうが多いが、家計に占める割合は貧困層のほうが大きくなる。世界保健機関（WHO）によれば、カザフスタンでは過去二〇年間、医療費に占める患者の自己負担の割合は、三五〜四九パーセントで推移している。この数字には、患者が医療者に直接、非公式に渡した金品の額も含まれているが、それが自己負担額のうちでどれほどを占めているのかは不明である[3]。そもそも、無申告あるいは過少申告や、回答者が公式・非公式の区別をはっきりと認識していない可能性もあり、非公式な支払いの金額を推計することは容易ではない。

国民皆医療保険制度が一九九六年に導入された後、まもなく頓挫したことはすでに触れたが、二〇一六年三月にはその再導入が決定された。新制度のもとでは、通院治療、入院治療、手術、処方医薬品など、ほとんどの医療サービスは保険でカバーされ、無償で提供されるのは救急医療や予防接種などに限定される。保険料は収入の五パーセントで、被雇用者は本人が給与の二パーセント、雇用主が三パーセントをそれぞれ負担し、自営業者は全額自己負担である。保険料の徴収は二〇一七年に開始され、二〇二二年までに規定の水準へ段階的に引き上げられる予定になっている。なお一八歳未満の子ども、学生、障害者、年金生活者、失業者、育児休業中の人などは、保険料の支払いを免除される。

ただし、計画どおりに事業が進むかは未知数だ。雇用者・被雇用者いずれにとっても保険料は新たな負担であり、そもそも自営業者の多くは収入が不安定で金額も少ない。また国民のあいだでは、過去の皆医療保険基金の破たんからくる制度への不信もある。制度設計上の問題に加え、基金幹部の汚職も表面化しているからだ[4]。こうした信頼の欠如が、保険料徴収のさらなる障害となる可能性も否めない。

二　賄賂か謝礼か

非公式な治療費

患者やその家族が医師や看護師に金品を渡すのはなぜだろうか。世話になった人にお礼がしたい、あるいは手厚い治療や看護を受けられるのなら費用がかかってもかまわない、という患者がいるのも事実だ。しかし、渡さざるをえないような状況に追い込まれたり、なにもしなければひどい対応をされるかもしれない、という不安から払っている場合も少なくない。より悪質なケースでは、重篤な病気やけがで救急搬送された患者や、陣痛を訴えている妊婦に対して、医者が臆面もなく金銭を要求することもある。

第2章で触れたように、互酬的関係にもとづく便宜の交換が中心だったソ連時代に比べ、市場経済化後はカネのやりとりが増えた。金銭を介在させない「助け合い」よりも、便宜を図ってもらう代わりにカネを支払うことが多くなったのである。この傾向は医療分野にも当てはまる。ソ連時代のコネはおもに、いい医者にかかったり、いい病室に入ったりするために使われていた。いまも、よりよい医療サービスを受けるにはコネが有効だ。しかし、たとえそれが親しい友人や親族の紹介だったとしても、医師自身には「お礼をする」必要がある。

賄賂との厳密な線引きが難しいとはいえ、患者やその家族が医師や看護師に対して、純粋な謝意を表わすために金品を贈ることがあるのはたしかだ。定番は、チョコレートなどのお菓子や、コニャックやワインといったアルコール類である。ただしこうした品物は、現金とセットにして渡されることも多い。いわば、「これは純粋な贈り物だ」という演出をするための小道具として使われているのである。

現金であっても、心付けとしての性格が強い場合もある。自身が以前、看護師として病院に勤務していた四十代の女性は、医師に世話になるたびに、「お茶代」とか「お昼代」という名目で一〇〇〇テンゲ（七ドル）ほどを渡すことにしている、という。抵抗感なく受け取ってもらうための気遣いなのだろう。ほとんどの医師が受け取るが、時には「馬鹿にしてるのか？」と非難されることもあるそうだ。高額な謝礼に慣れている医師にとっては、一〇〇〇テンゲは「はした金」といったところだろうか。

質の良いサービスを受けるためにカネを渡すケースでは、その動機はより複雑である。

カザフスタン南部の都市クズルオルダ出身のアセリは、故郷で息子を出産した際、産科医にまえもって一〇〇ドルを渡した。彼女によれば、安心してお産に臨むには事前交渉が不可欠だ。何もしなければ大部屋に入れられてしまうが、そこでは医師一人に対して何人もの妊婦がいるため、十分なケアが受けられない。しかし彼女の病室は二人部屋で、その産科医がつねに様子を見にきてくれ、最初から最後まで責任を持って担当してくれたという。

このように、患者の側がよりよい治療や待遇を得るために金品を渡す場合、当事者はそれをどう評価しているのだろうか。こうした行為の目的が単なる謝意の表明ではないことはあきらかだ。医師や看護師から強要されているわけではないので、次節で紹介するゆすりの事例とも異なる。ただし、「強制」をより広義にとらえるべきだ、という見方もある。医療者からはっきりした要求やほのめかしがなくとも、患者の側に「払わないと適切な医療サービスが受けられないのではないか」という不信感があるなら、それ自体が圧力になりうるからだ[5]。たしかに、病院はつねに安全な出産のために手を尽くしてくれるはずだという信頼があれば、アセリも事前交渉が必要だとは思わなかったかもしれない。

他方、アセリが産科医に渡した一〇〇ドルには、特別なサービスに対する対価という意味合いがあることにも注目しておこう。アルマトゥ市内の公立病院で出産した別の女性も、特定の産科医に事前に渡したカネを医師の「正当な報酬」と考えていた。彼女は、第一子を出産した際に五〇〇ドル、第二子のときには七〇〇ドルを非公式に払ったが、標準以上のサービスにそれなりのコストがかかるのは、「西側ではふつうのことでしょう」、と言う。少人数の病室、きめ細かで丁寧なケア、評判の良い医師の指名などに特別料金を課すのは、資本主義社会のスタイルだというわけだ。

よりよい治療や手厚いケアを受けられるよう金品を手渡すのは、社会主義時代からの慣習となっている。しかし市場経済化後、医療サービスの売買が合法化されると、医療者への非公式な支払いも、公式なサービス料金に近い性格を帯びるようになった。患者にしてみれば、医師に直接渡すカネも、有料サービスを提供する医療機関の会計で支払いをおこなうことも、「自分が選んだ医療サービスをカネで買う」という点では同じだからである。

クリニックや病院では、行列をスキップし、すばやく受診するためにもカネが使われる。公立の医療機関を受診する際、まず直面するのが長蛇の順番待ちだ。ちょっと診てもらうだけでも数日、あるいは数週間も待たされる。より高度な治療を専門病院で受けるためには、さまざまな書類を準備しなければならない。ただでさえ体調の悪い病人にとっては、体力的にも精神的にも大きな負担になる。そのため、カネを払える人やコネがある人は、それらを駆使して待ち時間を最小化しようとする。

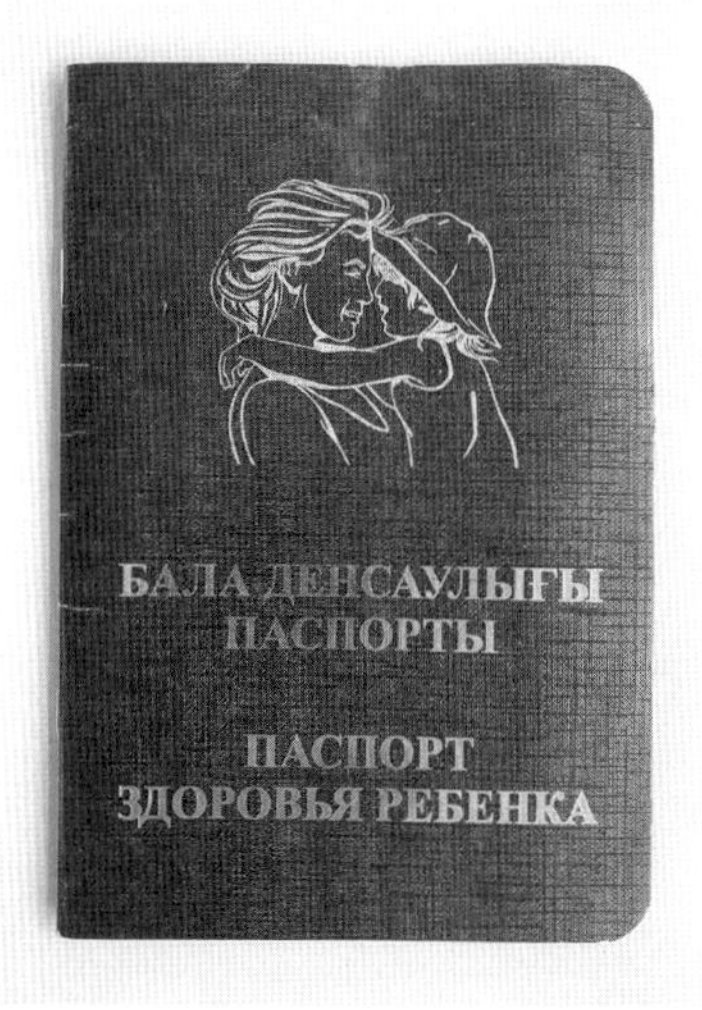

ある医師は筆者にこう打ち明けた。

「本来は、医者は順番どおりに診察しなければならない。でも実際には、順番など誰も守ら

小児健康証明書［筆者撮影］

ない。誰かの紹介とか、カネを払ったとか、そういう患者を優先します」。

目的達成にかかる手間と時間を削減する「迅速化」は、医療分野でも頻繁におこなわれているのである。

成績が悪い学生は病気になる

医療分野の非公式な支払いに関する研究では、医療サービスを受ける目的で医師や看護師に渡す金品の内容や金額、頻度、そうした行為がおこなわれる動機や構造的理由、さらに文化的・社会的な背景などが議論されてきた。そのなかで中心的に扱われたのは、患者が、公式には無料で受けられるはずの診療に金銭を支払ったり、公費負担で提供されるべき医薬品を買わされたりする事例だ。

しかし実際には、医療現場で非公式にやりとりされているのは診療や医薬品だけではない。本来なら入手できないものも、しばしばカネと交換されている。典型的な例は、健康状態に関する証明書類の発行である。

アルマトゥ郊外のカジノに勤務する四十代の女性は、職場の健康診断にかかる時間を節約するためにカネを使う。どのクリニックに行っても行列に並ばなければならず、一日では終わらない。だが何日も休ませてはもらえない。そのため、虚偽の診断書の入手を代行してくれる人物を探すのだ。「身分証明書や写真と一緒に、五〇〇〇テンゲ（二七ドル）を渡せば、代わりに全部やってもらえる」。

子どもをスイミング教室に通わせている若い母親は、プールの利用に必要な証明書がしばしばカネで買われていると教えてくれた。子どもが感染症に罹患していないことを証明しなければ、プールは使えない。そこで親たちは、受診にかかる時間と手間を省くために、医者にカネを渡して証明書をもらうのだ。

もうひとつ、これと似た例をあげよう。カザフスタンでは入園の際、「小児健康証明書」を保育園に提出する必要がある。小児科のクリニックを受診すれば、検査結果が出るまでに少なくとも数日、あるいはもっと長いあいだ待たされる。職場復帰を急いでいた四十代の女性は、以前、看護師として働いていたことのある知り合いを通じて医者と交渉した。そして、菓子折りに一五〇〇テンゲ（一〇ドル）を添えて手渡したのだ。こうした根回しが功を奏し、その翌日には証明書を受け取ることができた。

とはいえ、すべてのプロセスを省いたわけではない。実際に子どもを医者に診せ、必須と言われた予防接種はその場でおこなった。ただ、本来なら必要とされる血液、尿と便の検査はしなくて済んだ。ちなみに、元看護師の知人がいうには、それは子どもが健康だからであって、もし見るからに病弱であれば、いくらお金を渡しても検査結果をねつ造するわけにはいかないそうだ。

また、この母親は「将来に備える」ため、同じクリニックの看護師にも五〇〇テンゲを渡した。子どもが数日間、保育園を連続して休むと、再登園する際に医師の許可が必要になる。しかし看護師に顔をつないでおけば、医者に診てもらわなくても、そうした書類を看護師から手に入れることができる。そのつど、カネは渡さなければならないが、いざというときに頼みごとができるよう、日ごろから良好な関係を築いておくことが重要なのだ。

このように、健康状態に問題がないことを証明しようとする場合、大多数の人の目的は長期間の行列待ちを避けることにあり、必ずしも病状を隠すためにやっているわけではない。だが、こうした証明書の売買が感染症対策を骨抜きにし、結果として公衆衛生を脅かすリスクは存在する。

これとは逆に、疾病を装うために証明書を買うこともある。

筆者の知人の大学教員は、「成績が悪い学生は病気になる」と皮肉交じりに言う。正当な理由をつけて講義を欠席したい学生は、カネで疾病証明書を入手するのだ。こうした学生のニーズに応えるクリニックが存在するのは周知の事実である。また、学業成績が芳しくない学生は退学を迫られることがあるが、病気を理由に休学すればそれを回避できる。ただしその場合は、長期療養を正当化できるような病名が必要になる。

都合のいいときに「病気」になるのは社会人も同じだ。職場で休みを取らせてもらえないとき、疾病証明書があれば堂々と休める。医薬品関係の会社で働く四十代の女性は、必要なとき、この証明書を一日あたり一〇〇〇テンゲ（五ドル）で買っているという。証明書があれば、彼女が加入する民間の医療保険から一日あたり七〇〇〇テンゲが支払われるため、「十分、元が取れる」というわけだ。

ちなみに、息子の徴兵を回避するため、健康上の理由で不適格であることにしてもらおうと、診断書を書いてくれる医者を探す親たちもいる。しかし実際には、地区軍事局にかけあうのがより確実な方法のようである。

カネで公式な手続きを回避する行為としては、「クォータ」の購入も指摘しておかなければならない。手術などの高額医療には、一定数の患者に対して国が費用を負担するクォータ制が設けられているが、これも贈収賄の温床となっている。というのも、限られた枠をめぐって競争する患者の心理につけ込んで、クォータを売る保健省の役人がいるからだ。公費枠をなかなかもらえない患者にとっても、治療費をすべて自己負担するより、クォータを買ったほうが安く済む。病気やけがの程度や、やりとりされる金額の大きさという点では、ちょっとした証明書や診断書の偽造よりも、こちらのほうがより深刻といえよう。ただし、クォータは必ずしも万能手形ではない。せっかくそれを手に入れて病院に行っても、治療や手術を受けるたびに、袖の下を要求されることもあるからだ。

三　命の沙汰もカネしだい

露骨なゆすり

病気やけがを治してくれた医師や手厚いケアを施してくれた看護師に、心からお礼がしたい。入院するなら少人数の病室で丁寧に診てもらいたいから、そのコストは惜しまない。そうした動機から医療者に金品を渡す場合は、患者もおおむね納得して負担している。他方、長時間待たされ、いつまでたっても診察してもらえない、あるいは医師や看護師の心証を悪くしてぞんざいな扱いを受けないか心配だ、といった理由から金品を渡したケースでは、はっきりと強制されてはいないものの、完全に自発的ともいいがたい。

こうした現状にも不満はあるが、人びとがもっとも憤慨するのは、医師による露骨なゆすり行為だ。彼らはしばしば、古代ギリシャの医師ヒポクラテスが医師の職業倫理について述べた有名な宣誓文、「ヒポクラテスの誓い」を引き合いに出し、医者になる人はこの誓いを立てたはずなのに全然守っていないではないか、と嘆く。患者の生命と健康を最優先するどころか、弱みにつけ込んでカネをせびり取っていると非難するのである。

「全身血まみれで腕は骨折。なのに「治療してほしければカネを払え」って言われたんですよ。無料で受けられるのは医療じゃない。侮辱です」。

二十代の会社員アリョーナは、以前、友だちと一緒に出かけたドライブの帰りに、交通事故に遭ってしまった。乗っていた車は大破し、アリョーナたちは着の身着のままで救急搬送された。ところが病院では、まず薬局で薬を買って来るように言われた。救急医療は医薬品も含め無料で提供されることになっているので、これは事実上のゆすりである。アリョーナは、「財布もないのにお金なんて払えない、けが人の治療はあなたたちの仕事でしょう」と抗議したが、両親が到着して医師にカネを渡すまで放置されていたという。しかも、搬送先の病院で受けた手当はいい加減で、後日、別のクリニックでギブスを付けなおさなければならなかった。

実は、この類いの話は決して珍しくない。別の若い女性は、強欲な外科医のせいで脚を失う寸前だったと述懐する。骨折した脚が感染症にかかり公立病院を受診したところ、外科医が八〇〇〇ドル払わないと手術しないと言い放ったのだ。両親はアパートを売ってお金を工面しようとしたが、金策に奔走しているあいだに彼女の脚の状態はみるみる悪化した。あまりに腫れがひどくなって感染症科に回されたことが幸いし、別の医師の執刀で手術を受けることができたという。

さらに、もう一例。四十代の元看護師ガウハルは地方出身で、離婚後、アルマトゥにやってきた。一家が引っ越したばかりのころ、娘が腹痛を訴えたため深夜に救急車を呼んだ。虫垂炎だったのだが、担当の若い外科医から手術の「謝礼」として一万五〇〇〇テンゲ（一〇〇ドル）を要求された。シングルマザーとして三人の子どもを育てていたガウハルにとっては、簡単に出せる金額ではない。しかし、娘の症状がどんどん悪化するのを見て、無理をしてでも払うことにした。「朝の七時までにお金は用意する、いちど家に戻るからその間に手術を始めて」と医者に懇願すると、「半額だけでも置いていけ」と言われたそうだ。そうこうしているうちに、娘の虫垂が破裂してしまった。

「市場の買い物じゃあるまいし、子どもが目の前で苦しんでいるのに金額の交渉をするなんて！　盲腸の手術なんてふつうは三〇分で終わるのに、すぐにやらなかったから三時間もかかってしまった」。

ガウハルが手術はいつ終わるのかと気をもんでいるとき、病院の廊下でさめざめと泣く女性がいた。彼女も同じ外科医に賄賂を要求されていたのである。その女性の息子は重篤な症状で搬送され、生死の瀬戸際をさまよっていた。怒り心頭に発したガウハルは意を決し、その女性と二人で病院長に直談判することにした。外科医を処分し、子どもたちに適切な治療を施すこと。さもないと訴訟を起こし、マスコミも呼んで騒ぎ立てると宣言した。結局、その医者は別の病院に異動になった。しかしガウハルは、彼が患者からカネをせしめていたのは院長も知っていたはずで、自分たちが騒がなかったら院長も見て見ぬふりをしていただろう、と言う。

医療機関における収賄は、トップの黙認や積極的な関与のもと、組織的におこなわれていることが少なくない。収賄があたりまえになっているような職場では、袖の下を受け取った同僚を告発したりすれば、自分がそこにいづらくなるだけだ。また患者やその家族も、たとえ医者から理不尽な要求をされても、正面から抗議することはあまりない。大きなスキャンダルにでもならない限り誰も責任は取らないし、文句を言ったところで別の病院に行けといわれるのがオチだからだ。

医療機関における組織的収賄については、ロシアで実施された聞き取り調査がある。それによると、患者が非公式に払ったカネはしばしば内部でシェアされている。ただし、院長や診療科長の関与の仕方はさまざまで、すべて、もしくは一部分を上納させることもあれば、黙認することもある。なかには自分の評判に傷がつかないよう、部下の収賄を厳しく取り締まる者もいるという(6)。

旧社会主義諸国の医療分野に関する研究によると、金品の授受がとくにさかんなのは外科と産科である。患部の除去、損傷の修復、出産は、患者にとって治療の結果がわかりやすく、お礼をしたい、という気持ちになりやすいのだろう。また生死にかかわる状況下で、ほかに選択肢がない場合には、理不尽な要求であっても従わざるをえない。妻が出産のため病院に運ばれた際、その場で二〇〇ドルを要求されたという男性の言葉が、そうした事情を端的に表わしている。曰く、「断れませんよ。

（断ったら）どうなっていたことか」。

むろん、患者のため日々身を粉にして働く良心的な医療者もたくさんいる。医師の大半は、人命を救ったり、無事に赤ん坊をとりあげて、人びとから深く感謝されているだろう。しかしなかには、患者が置かれた状況につけ込む者も少なからず存在するのである。

医薬品業界との癒着

病院が医薬品の自己負担を強制する行為は、しばしば患者の怒りをかっている。医薬品については、前述のとおり、特定の疾患および未成年や生殖可能年齢の女性に対しては、無料もしくは低価格で提供されることになっている。しかし患者は、どの範囲が無料でどこからが有料なのか、必ずしも正確な情報を持っていない。結局のところ、薬がなくて困るのは患者自身だ。そのため、現実的には自分で用意するか、医師や看護師に現金を渡して入手してもらうしかないのである。

筆者の個人的な印象だが、カザフスタンの人たちは日本の一般市民よりも医薬品に詳しい。友人たちと話していると、バファリンとか正露丸といった家庭用医薬品の名称ではなく、私たちが「おくすり手帳」を参照しないと思い出せないような医薬品名と、その効能・効果を知っている人が多いのだ。また、なかには怪しげな情報もあるが、症状に応じてどのような手当てをし、どんな薬を使うべきか、確固たる意見を持っている人が少なくない。診療所は待ち時間が長いので、医者にかからず自力でなんとか治そうとするのだろう。

しかし自己流の投薬には、深刻な副作用などのリスクもある。カザフスタン政府も、抗生剤をはじめとする医薬品の不適切な使用と乱用に目を光らせている。二〇一六年一月、医薬品販売のルールが厳格化され、処方箋の提示が義務づけられることになった。この措置は当初徹底されていなかったが、現地の報道によると、四月から処方箋なしでは薬が買えないといううわさが広まり、「いまのうちに買っておこう」と考えた人びとが薬局に殺到したという。その背景には、医療機関の受診に時間をとられたくないという理由のほかに、医師がわざと高価な薬を処方するのではないかという不信感もあるようだ。[7]

薬局（アルマトゥ）［V. Zaikin 撮影］

実際、利益最優先で処方箋を書く悪徳な医者もいるらしい。医薬品販売の仕事をしているマリーナは、会社からノルマを課されている。それを達成するには、できるだけ多くの医師に、自分が販売する医薬品の処方箋を出してもらわなければならない。彼女は会社を通じて、医師にオフィス用エアコンやブラインドなどの物品を提供したり、海外出張の費用を肩代わりしたりすることで、売り上げを伸ばすべく奮闘している。医師の側はこれに応えて、病歴と連絡先などを記した患者の個人情報を渡してくれる。もちろんこれは守秘義務違反だが、マリーナにとっては貴重な情報だ。彼女は患者に電話をし、「保健省の者ですが、お薬が効いているかどうか教えていただけますか」などと言って、医者が実際に薬を処方したかどうかチェックできる。「医者は自分が儲かるなら、有害な副作用がある薬でも平気で処方する」というのが、マリーナの持論だ。

カネだけでは医者になれない

教室で試験問題と格闘する医学部の女子学生。虫垂炎に関する質問にどうしても答えられず、解答を提出する際、教員にこっそり現金を手渡す。黙って笑みを交わす二人。無事に大学を卒業した彼女は、周囲からの称賛と祝福を受ける。場面は一変し、緊迫した様子の緊急治療室が映し出される。急性虫垂炎の男性が運び込まれ、彼女はメスを手にするが、おろおろして開腹することができない。解けなかった試験問題が脳裏に浮かぶ。その間に容体が急変した患者は死亡。まだ若い男性だったのだろう、妻と小さな子ども、両親らしき人たちが、手術室の前で悲嘆にくれている。患者を救うことができなかった彼女は、残された家族と目を合わせることができない。

これは、カザフスタンの隣国、キルギス共和国の財務警察が二〇一四年に公開した「腐敗はわれわれ共通の不幸だ」というタイトルの、公共広告のストーリーである。この映像広告は、二〇一九年現在、六六万回も再生されている。腐敗摘発キャンペーンの一環として作成されたのだろう、映像の最後では通報用の電話番号が表示されている(8)。

興味深いのはコメント欄の書き込みである。使用言語、書き込みの内容、氏名（匿名やニックネームも多いが）などから推測すると、書き手のほとんどは中央アジアやコーカサス諸国、ロシアに住んでいるようだ。全体として「このビデオクリップ、よくできてるよ」「現実にこういう医者はたくさんいる」といったコメントが多く、この問題への関心の高さがうかがわれる。なかには、「医学部を卒業したばかりの新米医師に、一人で手術させるなんてありえない」など、ストーリー設定の不自然さを指摘する声もある。だが、この公共広告の目的は、医療界の実態を暴くというより、個人の不正が深刻な結果を招くこともある、という警告のメッセージを発することにあったのだろう。

この動画で描かれているように、カザフスタンの医師や看護師の卵たちも、他の学生と同様、社会人になる前から袖の下を使うことには慣れている。医学系の教育機関においても、賄賂を払って入学したり、単位を買ったりすることは、ごくふつうにおこなわれているのである。そうした不正行為が、学生の価値観や将来の行動に影響を与えているであろうことは想像に難くない。

アルマトゥにある医療専門学校で臨床検査技師を目指しているグリバヌは、入学を認めてもらうため、知り合いを通じて四五万テンゲ（二〇一四年のレートで二五〇〇ドル）を支払った。彼女はこれで国費奨学生となり、授業料を免除されたうえに奨学金ももらえることになったので、経済的にも大きなメリットがある。インタビュー当時の二〇一六年、グリバヌが学ぶコレッジに入るための賄賂は五〇〇万テンゲに値上がりしていた。ただし、ドル換算では一五〇〇ドル程度となり、むしろ大幅な値下げである。彼女が言うには、入学希望者はあらかじめ知り合いを探して交渉するため、こうした金額は周知の事実になっている。

グリバヌは入学以降も、教師の求めに応じて数千テンゲの賄賂を支払った。彼女の学校では、たいていクラスごとに集金し、教師にまとめて手渡していた。専門科目担当の教師たちはおおむね厳しく、カネで成績を買うのは難しかったが、なかには賄賂を取る教師もいた。なお、卒業時に受けなければならない国家試験は四科目あるが、上級生からは、「一科目あたり二万テンゲ（五八ドル）払えば合格できる」と聞いているそうだ。

他方、実際に病院勤務を経験した人たちはみな、コネ就職は珍しくはないが、賄賂だけで医師になるのはムリだと口をそろえる。医者はチームで仕事をするので、お互いの腕がすぐわかってしまう。とくに外科は手術をしなければならず、実際に人体の内部をみたり触ったりする負担に、誰もが耐えられるわけではない。これまで指摘したように、警察や税関、役所や学校などでは職の売買がしばしばおこなわれているが、さすがにカネだけで医師になるのは難しいようだ。

四　医療をめぐる現実

医者はつらいよ

筆者がアルマトゥに住んでいたとき、帯同した息子がよくクリニックのお世話になった。風邪、胃腸炎、アレルギー症状。「外国暮らしで小さい子どもがいては不安だろう、何かあったら相談しなさい」と知人が紹介してくれたのが、三十代半ばの外科医オスパノフ医師だ。幸い、滞在中に外科にかかる必要は生じなかったが、思い切ってインタビューの依頼をしてみたところ、快く応じてくれた。研修で広島に滞在したことがあるそうなので、日本人に親切にしてくれたのかもしれない。聞きたいことはいろいろあったが、とりあえず当たり障りのないことから尋ねようと思い、医療分野の平均賃金の低さを話題にすると、「平均なんて無意味だ」と言下に否定された。

オスパノフ医師が言うには、そもそも専門によって賃金の差が大きい。外科、産婦人科、救急など、瞬時の対応が要求されストレスも大きい科では、それに応じた割り増しがある。いちばん給料が低いのは、診療所や入院病棟で働く医師たちだ。さらに、当然、役職によっても賃金には差がある。

オスパノフ医師が勤務する公立病院の基本給は、二万六〇〇〇テンゲ(一七〇ドル)。学位や役職に応じて諸手当が上乗せされるというが、それにしても少ない。物価が高いアルマトゥではとても生活できないだろう。オスパノフ医師によれば、大学卒業後の五年間くらいが経済的にいちばん苦しく、収賄の誘惑がもっとも大きいのもこの時期だという。親族からの援助があれば別だが、経験が浅い駆け出しの医師は、アルバイトの口もなかなか見つからないからだ。

医療者が収賄に手を染める最大の原因は、その収入の低さにあると考えられている。彼らへの非公式な支払いは、当事者だけでなく、それ以外の人からもしばしば正当化されている。患者からの「寄付」を禁ずれば医療者の生活が成り立たなくなり、離職者が続出して医療が崩壊する、と主張する研究者もいるほどだ。実際のところ、筆者のまわりにも、待遇の悪さから転職したという人が何人もいる。長時間労働と重責にそぐわない収入に見切りをつけて、みずからビジネスを始めた元医師。看護師よりは稼げるからと、ベビーシッターや家政婦になった人など、その選択はさまざまだ。

カザフスタン国家経済省統計委員会によれば、労働者一人あたりの平均名目賃金（二〇一八年）は全産業平均が一六万三〇〇〇テンゲ（四七〇ドル）なのに対し、医師および歯科医師は一一万五〇〇〇テンゲ（三三〇ドル）にすぎない。よりよい条件を求めて、公立の医療機関から私立や外資系に移る医師もいる。だが二〇一七年時点で、病院や大きなクリニックを中心に、医療機関の七割以上は公立によって占められている（ただし、歯科医院と薬局はほとんどが民営化されている）。公立病院に勤務しながら民間のクリニックをかけもちし、合法的に副収入を得る医師もいる。

看護師の給料はさらに低い。医療専門学校の学生で、卒業後、看護師として働くことが決まっている女性は、自分が就職したら、やはりお金を受け取るだろう、と言う。「あまりいい気持ちはしないだろうけれど、給料が少ないからそうするしかない」。彼女の率直な気持ちだ。

一方、同じ公立でも、軍や内務省などの附属病院はやや事情が異なるようだ。これらの病院では、収入が通常の病院より恵まれているだけでなく、国からアパートを支給してもらえるなど、福利厚生が充実している。一般市民のあいだでは、内務省や軍そのものは腐敗した国家機関の典型だと考えられているが、その附属病院では好待遇と引き換えに、贈収賄や医薬品の横流しを厳しく取り締まっているのかもしれない。軍附属病院の看護師として働いていた四十代女性の経験は、一般の病院に勤務する医療者の話とはかなり違っていた。

もし何か受け取ったことがばれたら、解雇されるかもしれない。みんなクビになるのを恐れていました。菓子折りを手渡そうとした患者に、突き返したこともありますよ。交代のときには、アンプル（注射剤を入れる容器）をひとつひとつ数えて引き継ぎをしたものです。

公正な医療とは

あるとき、しばらく連絡をとっていなかったカザフスタンの知人から、突然メッセージがとどいた。「がんになり海外での治療を希望しているので、日本の専門病院を紹介してほしい」という。筆者は代表的な医療機関の英文ホームページを教えつつ、健康保険に入っていない外国人の場合は治療費が高額になることを説明した。結局、彼女は韓国で治療を受けたようだ。

国内の医療機関に対する信頼が低下しているカザフスタンでは、深刻な病気になると、お金を工面できる人は外国に行って治療を受ける。そこまでの余裕がない人は、国内で私立のクリニックに行くか、公立病院の有料サービスを利用する。それも難しければ、公立のクリニックで根気強く順番待ちをするか、公費治療枠をもらえるよう手を尽くすしかない。しかし、たとえ治療そのものが無料でも、医師への非公式な支払いはほぼ不可欠だ。「だから病気になれない」と、皮肉ともあきらめとも取れる調子でこぼす人もいる。

重篤なけがや病気で苦しむ患者から、カネを巻き上げようとする悪徳な医師が非難されるのは当然だ。そこまであからさまではないにしろ、袖の下の事実上の強制も患者を悩ませている。しかし、医療者に対する贈賄が、すべて否定的にとらえられているわけではない。カザフスタンの人びとにとって、医師や看護師へ金品を手渡すのは必ずしも悪いことではない。治療への純粋なお礼として、あるいは高い技術や手厚いケアへの実質的な報酬として、お金を包むのは当然だと考える人も多い。

一般市民にとってより根本的な問題は、公式・非公式を問わず医療費が重い負担としてのしかかっているという現実にある。医療自由化と有料サービスの拡大により、支払い能力のある人びとは以前より多くの選択肢を手にすることとなった。他方、公式あるいは非公式な支払いをする余裕のない少なからぬ世帯が、基本的な医療サービスすら十分に受けられずにいる。無償の診療や医薬品の範囲が縮小されただけでなく、本来、カネを払わなくてもよいはずのサービスに金銭を要求されるからだ。

人びとの願いは非公式な支払いを完全になくすことではなく、経済状態にかかわらず、安心して診療が受けられることだろう。社会主義時代を記憶する世代のあいだでは、国が基本的医療を保障していたソ連時代のほうが社会的に公正だった、という見方が根強い。ソーシャルワーカーとして働く中年女性も、そのひとりだ。彼女が言うには、たしかにソ連時代には、自由な買い物や海外旅行など、できないことはたくさんあった。だから金持ちにとってはいまのほうがいいかもしれないが、庶民にとってはソ連時代のほうが暮らしやすかったのだ。

これは、過去に対する単純なノスタルジーではない。かつての共産主義イデオロギーを懐かしむ、時代遅れの回顧主義でもない。一般市民にとってソ連時代とは、仕事と老後の年金が保障され、医療費や子どもの教育費に頭を悩ませる必要もなく、ささやかながらも安定した生活を送ることができた時代なのだ。それが失われたいま、社会主義的な福祉国家がより理想的に思えるのは無理もないことかもしれない。

エピローグ　格差と腐敗

失われた命

二〇一九年二月四日、深夜二時。当時はまだアスタナと呼ばれていた極寒の首都ヌル＝スルタン郊外で発生した火災で、幼い命が失われた。両親は夜勤のため不在で、残されたゼロ歳から一二歳までの五人姉妹が就寝中の出来事だった。火元は石炭ストーブだ。都市部のアパートは通常、セントラルヒーティングが整備されているが、一家が借りていたのは三〇平米程度の簡素な住宅で、そうした近代的な設備とは無縁だった。消防隊が駆けつけるまでのわずか数分のあいだに、小箱のような家の屋根はあっけなく焼け落ちた。

この五児焼死事件はマスメディアでも大きくとりあげられ、社会の高い関心を集めた。それは単に、いたいけな子どもたちの死に対する同情からだけではない。人びとは国の社会保障政策のあり方に強い不満を表明したのである。なぜ幼い子どもを持つ親が夜中に働かなければならなかったのか。子だくさん家庭への公的支援がもっとしっかりしていれば、このような悲しい事件は起きずに済んだのではないか。一家が公共住宅に入居できなかったのはどうしてか。豊富な天然資源に恵まれた国で、なぜ子どもたちがバラックのような家に取り残され、焼け死ななければならなかったのか。

市民の怒りに火をつけたのが当時の労働社会保障大臣、マディナ・アブルカスモヴァだ。一九七八年生まれの彼女は、カザフスタンの若きエリートを象徴する存在である。国内の大学を卒業後、政府機関でキャリアを積み、三十代前半の若さで経済関連の省庁の副大臣を歴任。この間、コロンビア大学とハーヴァード大学の修士課程への留学も果たしている。ちなみに、父親は著名な医師で、下院議員を務めたこともある。

華やかな経歴を誇るアブルカスモヴァだが、社会保障問題を担当する大臣としての評判は、入閣当時から芳しくはなかった。とくに事件の三週間ほど前、政府の多子世帯への手当は他国に例をみないほど手厚いと言い放ち、当事者たちから猛烈な反発をくらっていたのだ。間が悪いことに悲劇の翌日、アルマーニのスーツに身を包んだアブルカスモヴァが『フォーブス・カザフスタン』誌の表紙を飾ったことは、庶民の神経を逆なでした。さらに彼女は、体調不良を理由に事件後の閣僚会議を欠席し、メディア対応を任された副大臣は、両親の夜勤について「彼らが選んだことだ」と切り捨て、火に油を注いだ。こうしたアブルカスモヴァの言動に対する世論の反発は、二〇一九年二月下旬の内閣総辞職の一因となった。

この事件は多くの人びとの心を揺さぶったが、なかでも敏感に反応したのが同じ多子世帯の母親たちである。犠牲となった子どもたちの葬儀の翌日、数十人の女性たちが首都のコンサートホールに結集し、子だくさん家庭への支援の必要性を訴えた。金銭的な諸手当に加え、参加者たちが要求したのは住宅問題の解決だ。多子世帯に限らないが、今回の悲劇に見舞われた一家のように、劣悪な住環境に甘んじている人は少なくない。こうした抗議行動はその後、アルマトゥなどでもおこなわれた。

格差への怒り

この五児焼死事件は、カザフスタン社会がいま抱えている深刻な問題を象徴している。それは格差と貧困だ。官庁が集中する首都の中心部には高級マンションが林立するが、その郊外には室内に風呂もトイレもない矮小住宅が並び立つ。ブランド品を身に着け海外旅行を楽しむ富裕層と、働き詰めでも食うや食わずの人びと。両者は別世界の住民として存在し、お互いが交わることはほとんどない。

事件後に噴出した格差への怒りは、腐敗への怒りとも重なっている。市場経済化後のカザフスタンでは、公的な社会保障や福祉の面だけでなく、非公式な慣行という点でも「市場原則」が浸透した。後者についていえば、かつてソ連が対峙した資本主義世界以上に「市場化」が進んだともいえる。ひとつひとつの便宜に対して相場に応じた価格がつけられ、それを工面できるかどうかが生活の質を左右する。カネがあれば公式なルールを自分に都合よく捻じ曲げることも可能だが、そうでなければ不当な扱いに甘んじることを余儀なくされる。この現実を前に、人びとは住居費や医療費、子どもの学費だけでなく、賄賂の支払いにも頭を悩ませることになった。

ソヴィエト体制下では国家によって基本的な生活条件が保障され、必ずしも十分ではなかったにせよ、給与と年金を確実に受け取ることができた。無料の教育と医療、格安の住宅を与えられていたソ連市民は、いまほど生活費のやりくりに追われる心配はなかった。他方で、良質なモノやサービスがつねに不足していたため、日常生活を送るうえでコネは不可欠であり、提供した便宜の見返りとしてしばしば期待されていたのは、カネよりも別の便宜だった。不便ではあったが、フォーマルにもインフォーマルにも多くのカネを使わずに済んだのである。

ところが、市場経済の導入によって公共サービスが有料化されると、生活コストは大幅にアップした。しかも安定した収入が得られる職は限られ、短期雇用や不定期の仕事で食いつなぐ人も少なくない。社会主義時代に比べ、日々の生活にかかる費用が増大したにもかかわらず、大多数の人びとの収入は不安定になったのである。モノやサービスを自由に選ぶことができるようになり、その点においては、もはやコネに頼る必要はなくなったが、いずれにしてもカネが必要だ。

さらに、医療や教育、住宅等の公共サービス料金の導入・高騰と並行して、あらゆる分野で「非公式なサービス」の「有料化」が進んだ。いまでは、カネと引き換えに面倒で時間がかかる手続きを「早める」だけでなく、カネでは買えないはずのものも手に入れることができる。公務員の職、運転免許証、交通違反のもみ消し、徴兵免除、バザールの営業許可証、公立保育園の入園枠、学校の成績、大学入試の点数、健康診断書や疾病証明書などが、「売られて」いるからだ。こうした贈収賄はソ連時代にも存在したが、それがより顕著なかたちで、日常生活に浸透するようになったのである。

しかし、何でも買える社会は、何でも買わなくてはならない社会でもある。本来なら不要な支払いを強要させられたり、カネが払えないために、さまざまな場面で公正な扱いを受けられなくなったりする可能性もある。能力とやる気があっても公務員にはなれない。相手がより多くの賄賂を払ったために、裁判に負ける。公費負担の手術や治療を拒否される。公的住宅の入居者リストに登録しても、いつまでも順番が回ってこない。授業をさぼっていた同級生が大学の奨学金を獲得したのに、自分は受け取れない。支払うカネの多寡で物事が決まる社会で、もっとも不利な扱いを受けることになるのは経済的な弱者である。

ソ連時代へのノスタルジー

カザフスタンで、ソ連時代に比べ腐敗がどのように変化したかを尋ねると、ほぼ例外なく「増大した」という回答が返ってくる。人びとが念頭に置いているのは、おもに贈収賄の頻度や金額の増加だ。彼らが言うには、社会主義時代には袖の下はいまほど蔓延しておらず、ちょっとした便宜や口利きへのお礼も、せいぜいお酒や菓子折り程度で済んだ。つまり、公式にやろうとしたらできない、あるいは面倒なことを人づてで解決するのは基本的に同じであり、その点において社会主義時代と現在のあいだには連続性がある。ただ、そこにカネが頻繁に介在するようになったことを指して、腐敗の悪化とみなしているのである。

これまで本書で繰り返し述べてきたように、カザフスタン市民はこうした変化を単なる贈収賄の増大としてではなく、人間関係やメンタリティ、価値観の変化としてとらえている。相互扶助の精神や温かい人づき合いを大切にする心が失われ、何でもカネを基準に判断するようになった、と嘆く人は少なくない。いうまでもなく、袖の下の蔓延は、旧ソ連諸国に特有の現象ではない。しかしポスト・ソヴィエト地域においては、それがしばしば、より「クリーン」な過去との対比という観点から語られることに特徴がある。

ソ連時代のコネは、暗黙の了解として将来の見返りが期待され、しばしば第三者に不利益をもたらすものでもあったが、カネを介在させない限りにおいて、その利己的な性格はカモフラージュされていた。だが、コネの利用を正当化する「助け合い」や「友情」のレトリックを、カネのやりとりに使うのは難しい。

昔も、贈収賄がなかったわけではない。だが、かつては見つからないようにこっそりやっていたのが、いまでは羞恥心や処罰されることへの懸念が薄れてしまっている、と指摘する人は多い。そこで必ずといっていいほどあげられるのが、共産党による監視とコントロールである。ソ連時代には汚職が発覚したら厳しく罰せられ、社会的制裁を受けたが、いまでは賄賂で大儲けした人間が大手を振って歩いている、と人びとは憤慨する。

ソ連時代を記憶する人びとが現在の腐敗のひどさを嘆くとき、その語りはしばしば若者論へとつながっていく。彼らに言わせると、独立以降に育った子どもたちはまともな教育を受けていない「失われた世代」だ。何でもカネで売り買いされる「野蛮な市場」の価値観に染まっていて、手っ取り早く稼ぐことしか考えていない。ソ連式のきちんとした教育を受けたわれわれとは、勉強や仕事、人生に対する態度や考えが違う、というのが、よく聞かれる若者評である。ソ連世代は言う。ソヴィエト市民は超大国の一員としての自負と愛国心を持っていたが、いまは国民を統合する理念がなく、皆が利己主義的になっている。また、われわれの時代にはコムソモール（共産主義青年同盟）があったが、いまの子どもたちはしかるべき倫理観や行動規範を身につける機会がない、と。

このように発言する人たちは、自分たちがまっとうな人間になれたのは、マルクス＝レーニン主義をしっかり学び党の方針に忠実に従ったからだ、と言いたいわけではない。彼らが念頭に置いているのは、ソ連市民が実践していた日常生活のなかの社会主義的価値である。ロシア出身の人類学者アレクセイ・ユルチャクの言を借りれば、ソ連の人びとの大多数は「社会主義の日々の暮らしの現実（教育、仕事、友情、人づきあい、物質面の後回し、未来志向、思いやり、無私、平等）をソ連の重要で実質的な価値だと受け止めていた」[1]。ただし、そうした「現実」を生きることができたのは、計画経済と完全雇用、そして社会主義的な福祉政策があったからだ。

独立後の目覚ましい経済発展は、間違いなくカザフスタンの人びとに恩恵をもたらした。不便ながらも安定した生活を懐かしく思うソ連世代も、かつてのようなライフスタイルに立ち戻ることが可能だとは考えていないだろう。にもかかわらず、ソ連時代の「日々の暮らし」がいま高く評価されているのは、現実の日常生活に対する不満の裏返しともいえる。

いうまでもなく、若者を批判するかつてのソ連人も、実際には腐敗に参加している。また、物欲を恥ずべきものとする倫理観を植えつけられた世代とは異なる価値観を持つ独立世代も、必ずしも「カネで何でも解決できるのはいいことだ」と思っているわけではない。贈収賄が社会のルールと化している現実を前に、それを積極的に支持するというよりは淡々と受け入れている、といったほうがいいかもしれない。ある青年は、「このシステムのなかで暮らすのは便利だが、ときおり、本当に嫌になる」と、心情を吐露していた。合理的な手段としてカネを使うことには慣れているが、それと同時に、つねに非公式な支払いを求められる生活にうんざりすることもある。

右で述べたような「社会主義的価値」へのノスタルジーは、その時代を生きた人びとのあいだでは民族を超えて共有されているということを、ここで指摘しておきたい。ソ連時代はいまほど拝金主義的ではなかった、と主張するのは、ロシア人だけではなくカザフ人も同じだ。それは、ソヴィエト政権の全面的な肯定を意味するわけではない。第1章で述べたように、遊牧民の強制的集団化が引き金となった大飢饉、セミパラチンスクの核実験、一九八六年の一二月事件など、ソヴィエト政権下の数々の悲劇は人びとの記憶に深く刻まれている。ただ、そうした彼らも、日々の暮らしから失われた重要なものがあると感じているのである。

おわりに

ソヴィエト連邦の解体はすでに「歴史」となったが、ソ連に対する外からの通俗的イメージは、いまだに、どちらかといえばネガティブなものだろう。抑圧的な政権によって政治的自由を奪われ、秘密警察に怯えながら、西側への亡命を夢見た人びとが思い浮かぶかもしれない。だが内側から見た現実は、こうした暗い印象とは必ずしも一致しない。大多数の旧ソ連市民にとって、ソヴィエト時代のもっとも重要な特徴は「ゆりかごから墓場まで」を実現した高福祉社会にあったのである。

では、こうした社会主義福祉国家を記憶する一般の人びとにとって、市場経済化とは何だったのか。一部の成功者を除き、彼らの多くが連想するのは、自由競争にもとづく経済成長よりも、福祉の削減と生活の不安定化、贈収賄の蔓延、そしてエリート層による富の独占だろう。政府は住民に十分な社会サービスを提供しなくなり、乏しくなった公的資源をめぐる競争は激化した。インフォーマルなやりとりにも市場原理がいきわたり、あらゆる便宜が商品のように売買されるようになった。富裕層はその財力と人脈を駆使してますます豊かになり、貧困層は最低限の生活すら保障されない。

公正、平等、安定、そして秩序。これらは社会主義時代を回想する際に、しばしば使われるキーワードである。現在の腐敗が「公正で平等なソ連時代」との比較で語られるのは、腐敗の本質が不公正な格差にあるとみなされているからだ。公式か非公式かを問わず、あらゆることに十分なカネを払わなければ人間らしく暮らすことのできない社会は、「腐敗」した社会なのである。

註　記

プロローグ　〈賄賂〉を見る眼

（1）ブルガリアの政治学者イヴァン・クラステフは、腐敗の時系列比較は不可能であるとしたうえで、なぜ体制転換後に腐敗が悪化したという認識が広まっているのかを分析している。そのなかでクラステフは、旧東欧諸国に流布する腐敗言説は、格差についての言説であると主張している。Ivan Krastev, *Shifting Obsessions: Three Essays on the Politics of Anticorruption* (Budapest: Central European University Press, 2004).

（2）賄賂の定義について論じた先行研究については、たとえば以下を参照。Natsuko Oka, "Informal Payments and Connections in Post-Soviet Kazakhstan," *Central Asian Survey* 34, no. 3 (2015): 330-340; Natsuko Oka, "Changing Perceptions of Informal Payments under Privatization of Health Care: The Case of Kazakhstan," *Central Asian Affairs* 6, no. 1 (2019): 1-20.

（1）日本外務省の方針では「キルギス」と表記されるが、正しくは「キルギス共和国」（The Kyrgyz Republic）であり、「キルギス」のみでは国名として不正確である。現地の人びと自身が「キルギスタン」をやめて「キルギス」にしたのだ、という俗説が一部で流布しているが、「キルギスタン」（Kyrgyzstan）という呼称は同国憲法にも「キルギス共和国（キルギスタン）」というかたちで明記されている。なおキルギス語の発音により忠実に表記すれば「クルグズスタン」となるが、本書では「キルギス」が一般に使用されていることに鑑み、「キルギス共和国」と表記することにしたい。

（2）シュムケントは二〇一八年、南カザフスタン州の州都から「共和国的意義を有する市」に格上げされた。人口の二割弱をウズベク人が占め、ウズベキスタンの首都タシュケントまで約一二〇キロの距離にある。

（3）筆者はアルマトゥに滞在していた二〇一一年五～一二月の八か月間と、二〇一二年、二〇一四年、二〇一五年、二〇一六年にそれぞれおこなった短期調査（二週間弱）中に、インタビューを実施した。場所はアルマトゥおよびその近郊を中心としつつ、一部、ヌル＝スルタンでおこなっている（巻末の附録を参照）。文中に登場するインフォーマントの名前はすべて仮名だが、一部の専門家については本人の了解を得て実名を記載した。

（4）これは東部の標準時間で、日本よりも三時間遅い。カザフスタンにはふたつの時間帯があり、西部諸州は日本と四時間の差がある。

（5）“MVD: na mitingakh v Kazakhstane zaderzhali okolo chetyrekh tysiach chelovek,” Radio Azattyk, 2019/6/18, https://rus.azattyq.org/a/30005093.html.

（6）バルト諸国およびグルジアは、八月クーデタ以前にすでに独立宣言をおこなっていた。

（7）一九九〇年、ミハイル・ゴルバチョフは共産党の指導的役割の放棄、複数政党制の容認および大統領職の新設を提案し、同年三月の人民代議員大会でソ連大統領に選出された。これに倣うかたちで、各共和国レベルでも大統領のポストが設けられた。カザフスタンでは一九九〇年四月、ナザルバエフが最高会議（議会）によって大統領に選ばれた。その後の大統領選挙はすべて直接選挙で、独立直前の一九九一年一二月、一九九九年一月、二〇〇五年一二月、二〇一一年四月、および二〇一五年四月に実施されている。

（8）中央アジア諸国における権威主義体制については、以下の文献を参照。宇山智彦「権威主義体制論の新展開に向けて――旧ソ連地域研究からの視角」日本比較政治学会編『体制転換／非転換の比較政治』（ミネルヴァ書房、二〇一四年）、宇山智彦「現代政治史――歴史的背景・ソ連の遺産と独立国家建設」宇山智彦・樋渡雅人編著『現代中央アジア――政治・経済・社会』（日本評論社、二〇一八年）、東島雅昌「政治体制と政治制度――権威主義体制の制度と統治の多様性」宇山・樋渡編著『現代中央アジア』、東島雅昌「中央アジアの政治変動――権威主義政治と選挙の多様性」伊東孝之監修・広瀬佳一・湯浅剛編『平和構築へのアプローチ――ユーラシア紛争研究の最前線』（吉田書店、二〇一三年）。

（9）宇山智彦「政治制度と政治体制――大統領制と権威主義」岩﨑一郎・宇山智彦・小松久男編『現代中央アジア論――変貌する政治・経済の深層』（日本評論社、二〇〇四年）。

（10）たとえばキルギス共和国についてエングヴァルは、同国のインフォーマルな政治は血縁・地縁よりもむしろカネで動いており、その実態は先行研究で描かれているよりも「近代的」である、と指摘している。Johan Engvall, *The State As Investment Market: Kyrgyzstan in Comparative Perspective* (Pittsburgh: Pittsburgh University Press, 2016).

（11）二〇〇七年、在オーストリア大使としてウィーンに駐在していたアリエフは、ヌルバンク銀行幹部誘拐の罪に問われ公職を追われたのち、ダリガとも離婚した。オーストリア当局は当初、カザフスタンへの送還を拒否していたが、二〇一四年にこれら幹部の誘拐・殺人容疑でアリエフを逮捕、彼は二〇一五年、ウィーンの獄中で自殺した。

（12）カザフゲイト報道を試みたメディアとジャーナリストが受けた弾圧については、Joanna Lillis, *Dark Shadows: Inside the Secret World of Kazakhstan* (London and New York: I.B.Tauris, 2019) を参照。

（13）一九九五年の設立時は「カザフスタン諸民族会議」であったが、二〇〇七年に「カザフスタン民族会議」に改称された。設立当初からその議長は大統領が務めていたが、初代大統領法（二〇〇〇年）によりナザルバエフが終身議長となった。二〇〇七年の憲法改正により、下院の議席の一部がこの民族会議に割り当てられている。民族会議を含むナザルバエフ政権の民族政策について、より詳しくは、岡奈津子「カザフスタン――権威主義体制における民族的亀裂の統制」間寧編『西・中央アジアにおける亀裂構造と政治体制』（日本貿易振興機構アジア経済研究所、二〇〇六年）を参照。

（14）カザフスタンのスラヴ系諸民族は、そのほとんどがロシア語を母語とし相互の混血も進んでいるため、アイデンティティの面でも厳密な区別は難しい。

（15）岡奈津子「同胞の「帰還」――カザフスタンにおける在外カザフ人呼び寄せ政策」『アジア経済』第五一巻六号（二〇一〇年）。

（16）カザフスタン共和国労働社会保障省ウェブサイト（https://www.enbek.gov.kz/ru/node/332244）。

（17）文中で示す非公式な支払いの金額と通貨は、面談者の発言内容をそのまま引用している。記憶違いなどにより、その情報が誤りを含んでいる可能性もあるが、おおよその「相場」を示すため引用した。一般に、現地通貨テンゲもしくは米ドルが使われるが、テンゲで支払われた場合も、発言者が米ドルに換算して述べることもしばしばある。米ドル換算額は、支払いがおこなわれた時期の為替レートを用いているが、厳密な時期が不明であることも多いため、あくまで概算である。

（18）Turisbekov Z., Zh. Dzhandosova, A. Tagatova, and N. Shilikbaeva, *Administrativnye bar'ery kak istochnik korruptsionnykh pravonarushenii v sfere gossluzhby* (Almaty, 2007).

第2章　市場経済化がもたらしたもの

（1）Alena Ledeneva, *Russia's Economy of Favours: Blat, Networking and Informal Exchange* (Cambridge: Cambridge University Press, 1998).

（2）委託先は世論調査研究所（Public Opinion Research Institute：ヌル＝スルタン）、実施期間は二〇一三年八～九月である。調査対象はアルマトゥ、ヌル＝スルタンおよび全一四州の一八歳以上の成人男女八五七名で、性別、年齢、民族、居住地域は人口構成をおおむね反映している。調査は面談方式で、カザフ語およびロシア語の質問票を用いておこなった（回答者が言語を選択）。

（3）Johan Engvall, *The State As Investment Market: Kyrgyzstan in Comparative Perspective* (Pittsburgh: Pittsburgh University Press, 2016).

（4）藤本透子「父系出自と親族関係――ルーツ探求と相互扶助」宇山智彦・藤本透子編著『カザフスタンを知るための六〇章』（明石書店、二〇一五年）。

（5）藤本「父系出自と親族関係」。

（6）Cynthia Werner, "Gifts, Bribes, and Development in Post-Soviet Kazakstan," *Human Organization* 59, no. 1 (2000): 11-22.

（7）Edward Schatz, *Modern Clan Politics: The Power of "Blood" in Kazakhstan and Beyond* (Seattle and London: University of Washington Press, 2004).

（8）たとえば、以下の文献を参照。Kathleen Kuehnast and Nora Dudwick, "Better a Hundred Friends than a Hundred Rubles?: Social Networks in Transition - the Kyrgyz Republic," World Bank Working Paper No. 39, 2004.

（9）Kelly M. McMann, *Corruption As a Last Resort: Adapting to the Market in Central Asia* (Ithaca and London: Cornell University Press, 2014).

（10）たとえば、クライスティア・フリーランド（角田安正・松代助・吉弘健二訳）『世紀の売却――第二のロシア革命の内幕』（新評論、二〇〇五年）を参照。

第3章　治安組織と司法の腐敗

（1）Bhavna Dave, "Keeping Labour Mobility Informal: The Lack of Legality of Central Asian Migrants in Kazakhstan," *Central Asian Survey* 33, no. 3 (2014): 346-359.

（2）二〇一〇年以降は、民間のクリニックや病院を含め、居住地域にかかわらず医療機関を自由に選択できるようになった（第6章一節を参照）。

（3）二〇一六年末、政府はテロ対策の名目で制度を厳格化し、二〇一七年一月以降は、一時的な滞在先であっても登録が必要になった。新ルールのもとでは、一〇日以上未登録で居住していると警告を受け、一か月以上だと罰金が科される。また、居住実態がない人物を登録した場合も罰則の対象となる。

（4）“Grandioznyi skandal v Astane. Senat snial s dolzhnosti srazu shest’ sudei Verkhovnogo suda,” KTK, 2011/4/14, https://www.ktk.kz/ru/news/video/2011/04/14/12174.

（5）湯浅陽子「日出ずる処の國から——右ハンドル車をめぐる諸事情」『日本中央アジア学会報』第三号（二〇〇七年）。http://www.jacas.jp/jacasbulletin/003/JB003/JB03_008yuasa.pdf.

（6）“Osvobozhdenie ili vremennaia otsrochka ot prizyva v armiiu,” http://egov.kz/cms/ru/articles/military_service/exemption_from_army; “Voennaia kafedra pri universitetakh: otbor i postuplenie studentov,” http://egov.kz/cms/ru/articles/senior_devision.

（7）“Kazakhstanskaia armiia: sluzhit’ po novym pravilam,” Liter, 2017/11/4, https://liter.kz/ru/articles/show/38891-kazahstanskaya_armiya_sluzhit_po_novym_pravilam.

（8）“Kak izmenilas’ stoimost’ na voennyi bilet v Kazakhstane,” Karavan, 2017/7/4, https://www.caravan.kz/gazeta/kak-izmenilas-stoimost-na-voennyjj-bilet-v-kazakhstane-397230/. なおこの記事によれば、有料コースの履修可能年齢は当初二二歳以上とされたが、二〇一七年から二四歳以上に引き上げられた。

（9）岡奈津子「民族と政治——国家の「民族化」と変化する民族間関係」岩﨑一郎・宇山智彦・小松久男編『現代中央アジア論——変貌する政治・経済の深層』（日本評論社、二〇〇四年）。

（10）購入時期はさほどかわらないが、この二人が払った金額にはかなり差がある。両者の話が記憶違いでなければ、カザフ人男性が軍人手帳（しかも適格者用）を格安で手に入れることができたのは、コネの強さが関係している可能性がある（第2章三節を参照）。

（11） バイマガンベトフ本人は収賄を否定している。“Eks-glava tamozhennogo komiteta osuzhden na 10 let,” Kapital, 2012/1/8, https://kapital.kz/economic/10028/eks-glava-tamozhennogo-komiteta-osuzhden-na-10-let.html; “Prichiny dosrochnogo osvobozhdeniia Serika Baimaganbetova nazvali v sude Karagandy,” Tengrinews, 2015/3/3, https://tengrinews.kz/kazakhstan_news/prichinyi-dosrochnogo-osvobojdeniya-serika-baymaganbetova-271005/.

（12） “Eks-glavu tamozhni Serika Baimaganbetova pereveli iz kolonii v SIZO,” Tengrinews, 2014/12/10, https://tengrinews.kz/kazakhstan_news/eks-glavu-tamojni-serika-baymaganbetova-pereveli-kolonii-266656/; “Byvshii glava politsii nakazal svoego tiuremshchika,” Radio Azattyk, 2015/9/15, https://rus.azattyq.org/a/serik-baimaganbetov-pytki-ruslan-popovian/27249670.html; “Osuzhden pytavshii Baimaganbetova sotrudnik kolonii,” Today.kz, 2015/9/15, http://today.kz/news/proisshestviya/2015-09-15/626494-osuzden-pytavsij-bajmaganbetova-sotrudnik-kolonii/.

（13） Alena Ledeneva, *Can Russia Modernise? Sistema, Power Networks and Informal Governance* (Cambridge: Cambridge University Press, 2013).

第４章　商売と〈袖の下〉

（1） Regine A. Spector, “Bazaar Politics: The Fate of Marketplaces in Kazakhstan,” *Problems of Post-Communism* 55, no. 6 (2008): 42-53.

（2） Khorgos.biz, http://khorgos.biz/ru/info/city/509.

（3） Regine A. Spector, *Order at the Bazaar: Power and Trade in Central Asia* (Ithaca and London: Cornell University Press, 2017).

（4） Bartlomiej Kaminski and Saumya Mitra, *Borderless Bazaars and Regional Integration in Central Asia: Emerging Patterns of Trade and Cross-Border Cooperation* (Washington D.C.: The World Bank, 2012), 62, 66.

（5） “V Kazakhstane bolee 2 millionov samozaniatykh grazhdan. Pochemu eto problema dlia ekonomiki?,” InformBIURO,

2018/2/28, https://informburo.kz/stati/v-kazahstane-bolee-2-millionov-samozanyatyh-grazhdan-pochemu-eto-problema-dlya-ekonomiki.html.

（6）世銀の調査（二〇〇九年）によれば、非農業分野の自営業者の四割強がインフォーマルセクターに属している。ただし、同分野における非公式就労者の半数以上は公式・非公式な会社で働く賃金労働者であり、自営業者を上回る。Jan Rutkowski, "Promoting Formal Employment in Kazakhstan. Overview," The World Bank (2011), http://conference.iza.org/conference_files/InfoETE2011/rutkowski_j1928.pdf.

（7）非農業分野の非公式労働者（被雇用者および自営業者）のおよそ七割が、貿易と飲食業に従事している。Rutkowski, "Promoting Formal Employment in Kazakhstan."

（8）この調査は開発途上国および旧社会主義国を主な対象としており、先進国は若干の例外を除き含まれていない。

（9）カザフスタンとロシアは二〇一五年以降、ベラルーシ、キルギス共和国、アルメニアとともにユーラシア経済連合を結成しており、現在、域内貿易は無関税である。

（10）"I vnov' tseny na zhil'e v gorodakh Kazakhstana demonstriruiut polozhitel'nyi trend," kn.kz, 2018/11/6, https://www.kn.kz/analytics/3561/; "Ipoteka v Kazakhstane: chto predlagaiut banki v fevrale 2018 goda," kn.kz, 2018/2/26, https://www.kn.kz/article/8388/; "Nazvana sredniaia zarplata kazakhstantsev," zakon.kz, 2018/7/31, http://www.zakon.kz/4930614-nazvana-srednyaya-zarplata-kazahstantsev.html.

（11）ソ連時代の住宅政策については、以下の文献を参照。Henry W. Morton, "Who Gets What, When and How? Housing in the Soviet Union," *Soviet Studies* 32, no. 2 (1980): 235-259; Gauhar E. Zainullina, Richard A. Dodder, Gulnar Zh. Zainullina, "Privatizing the Housing Sector: The Case of Kazakhstan from 1985-1995," *The Journal of Social, Political, and Economic Studies* 24, no. 2 (1999): 173-194.

（12）住宅価格は技術インベントリ局（Biuro tekhnicheskoi inventarizatsii: BTI）による査定にもとづき、住宅局が決定した。なおカザフスタンの独自通貨テンゲの導入は一九九三年一一月で、それ以前はソ連時代に引き続きルーブルが使用されていた。

(13) Zainullina, Dodder, Zainullina, "Privatizing the Housing Sector," 180-190.

(14) Zainullina, Dodder, Zainullina, "Privatizing the Housing Sector," 185.

(15) Dina Sharipova, *State-Building in Kazakhstan: Continuity and Transformation of Informal Institutions* (Lanham: Lexington Books, 2018), 114-115.

(16) Sharipova, *State-Building in Kazakhstan*, 115-116.

(17) Sharipova, *State-Building in Kazakhstan*, 118-121.

(18) 若年世帯に対しては最大八年間、家賃を免除する特典も付与されている。"Programma 'Dostupnoe zhil'e-2020', utverzhdennaia pravitel'stvom RK, vstupila v deistvie," zakon.kz, 2012/7/10, https://www.zakon.kz/4501425-programma-dostupnoe-zhile-2020.html.

(19) "6 napravlenii programmy 'Nurly zher' dlia priobreteniia zhil'ia," naidi kak..., https://findhow.org/1833-6-napravleniy-programmyi-n-rlyi-zher-dlya-priobreteniya-zhilya.html.

(20) "Programma ipotechnogo zhilishchnogo kreditovaniia '7-20-25'," 2019/6/19, http://egov.kz/cms/ru/articles/buy_sale/ipoteka_72025.

(21) 住宅、別荘、もしくは家庭菜園用に国有地を有償で買い取ることも可能である。

(22) "Kak poluchit' zemel'nyi uchastok ili chto dolzhen znat' kazhdyi sobstvennik zemli," 2019/6/20, http://egov.kz/cms/ru/articles/obtain_land.

(23) 同じ意味で、「クソ」の代わりに「虫」(bukashka)が使われることもある。この表現は、ソ連時代の官僚主義を揶揄した「書類(bumashka)がなければ虫と同じ、書類があれば人間だ」がもとになっている。

（1）“Skol’ko v Kazakhstane stoit ‘sdat’ sessiiu’ v BUZe,” nur.kz, 2014/9/15, https://www.nur.kz/331498-skolko-v-kazahstane-stoit-sdat-sessiyu-v-vuze.html.

（2）“Iz 200 proverennykh diplomov v Mangistauskoi oblasti 90% okazalis’ poddelkoi,” BNews.kz, 2014/8/5, http://bnews.kz/ru/news/post/220959.

（3）“Sistema kazakhstanskogo vysshego obrazovaniia prevratilas’ v bol’shuiu barakholku,” 2014/5/19, http://www.mediasystem.kz/news-kaz/329265?category=15.

（4）“Rastsenki na vysshee obrazovanie v Kazakhstane,” 2016/2/20, http://ent-2014.kz/tutorials/rastsenki-na-vysshee-obrazovanie-v-kaza.html.

（5）ナザルバエフ大学およびＮＩＳでは、二〇一六／一七年度から有償で学ぶ生徒・学生を受け入れている。大学でおもに想定されているのは、外国からの留学生である。

（6）詳しくはつぎの文献を参照。岩﨑正吾「カザフスタン共和国――躍進する中央アジアの雄」嶺井明子・川野辺敏編著『中央アジアの教育とグローバリズム』（東信堂、二〇一二年）。

（7）OECD/The World Bank, “OECD Reviews of School Resources: Kazakhstan 2015” (Paris: OECD Publishing), http://dx.doi.org/10.1787/9789264245891-en.

（8）“HEIs of Kazakhstan,” Bologna Process and Academic Mobility Center, https://enic-kazakhstan.kz/ru/reference_information/universities. そのほか株式会社化された旧国立大学等があるが、このリストでは私立大学とは区別されている。

（9）具体的時期を確認できていないが、この男性の年齢などから判断して二〇〇八～一二年ごろであろう。テンゲの対ドル交換レートは、二〇〇九年二月の通貨切り下げ以前であれば一ドル＝約一二〇テンゲ、それ以降ならおよそ一四七テンゲである。

（10）“Vysshie uchebnye zavedeniia Respubliki Kazakhstan na nachalo 2017/2018 uchebnogo goda,” 2018/1/26, zakon.kz, https://

www.zakon.kz/4900658-vysshie-uchebnye-zavedeniya-respubliki.html.

第6章　ヒポクラテスが泣いている

（1）Dina Sharipova, "State Retrenchment and Informal Institutions in Kazakhstan: People's Perceptions of Informal Reciprocity in the Healthcare Sector," *Central Asian Survey* 34, no. 3 (2015): 310-329.

（2）"Iu. Iakupbaeva: 'V Kazakhstane chastnye meditsinskie organizatsii imeiut ogranichennyi dostup k gosudarstvennomu zakazu'," Association of International Pharmaceutical Manufacturers in Kazakhstan, https://www.aipm.kz/ru/novosti-i-sobytiya/717-yu-yakupbaeva-chastnye-meditsinskie-organizatsii-imeyut-ogranichennyj-dostup-k-gosudarstvennomu-zakazu.html.

（3）World Development Indicators online, https://data.worldbank.org/indicator.

（4）本人は否定しているが、米国在住の元基金総裁は、資金横領の罪で欠席裁判により有罪判決を受けている。

（5）Peter Gaal and Martin McKee, "Fee for Service or Donation? Hungarian Perspectives on Informal Payments for Health Care," *Social Science and Medicine* 60, no. 7 (2005): 1445-1457.

（6）S. V. Shishkin, T. V. Bogatova, Y. G. Potapchik, V. A. Chernets, A. Y. Chirikova and L. S. Shilova, *Informal Out-Of-Pocket Payments for Health Care in Russia* (Moscow: Independent Institute for Social Policy, 2003).

（7）"Kazakhstantsy kinulis' massovo skupat' lekarstva v aptekakh," 2016/4/1, Nur.kz, https://www.nur.kz/1087647-kazakhstancy-kinulis-massovo-skupat.html.

（8）https://www.youtube.com/watch?v=rTWR7KuVUMU.

エピローグ　格差と腐敗

（1）ユルチャクによれば、ソ連市民は「日常生活では社会主義国家や共産党が定めた多くの規範や規則を時おり破ったり曲げたり無視したりしていた」。アレクセイ・ユルチャク（半谷史郎訳）『最後のソ連世代——ブレジネフからペレストロイカまで』（みすず書房、二〇一七年）、一二頁。

あとがき

「非公式な問題解決」についてインタビューしている。こう話したときの現地の人のリアクションはさまざまである。自分など話題がたくさんありすぎて困るほどだ、どんどん聞いてくれ、と言う人もいるが、そんなことが外国人に可能なのか、と疑問を持たれることもあった。しかし、よそ者だからこそ話しやすい、というのもまた、事実である。

賄賂とコネという「公然の秘密」について、どこまでオープンにするかは人それぞれだ。臆面もなく詳細を話す人もいれば、どこかで線引きをし、その範囲内で情報を提供してくれる人もいた。収賄する人物の厚顔無恥ぶりに、聞いている私も一緒になってあきれたり、笑いあったりしたこともある。むろん、常に調査がうまくいったわけではない。なかには、実質的に何も語らずインタビューを終える人もいた。面談の目的を丁寧に説明しても、疑心暗鬼をなかなか解くことができないこともあった。

しかし、私のフィールドワーク上の最大の危機は、相手に話をしてもらえなかったことではない。外国人が腐敗についで調べることにどのようなリスクがありうるのか、期せずして、身をもって知ることになったのだ。やや長くなるが、私の「告白」にしばし、おつきあい願いたい。

アルマトゥの中心部、賑やかなトレビ通りにある集合住宅。外観も内部もソ連時代の様式の、ごくありふれた建物だ。その一室の台所兼食堂にあるベンチ型の堅い椅子に腰掛けながら、私は警官がやってくるのを落ち着かない気持ちで待っていた。なにを尋問されるのか心配で心臓がドキドキしていたが、これから滅多にない経験ができそうだ、という好奇心も、少しだけ頭をもたげていた。

一二月初旬の肌寒い日、私はいつものように調査協力者からインタビュー相手を紹介してもらい、その方の自宅にお邪魔していた。おっとりした雰囲気の三十代の主婦が語ってくれたのは、本来なら治療費がかからないはずの公立病院で医者に金銭を要求されたとか、姪っ子が大学で試験の点数を「買った」とか、それまで聞いたなかでも、もっともありふれた内容のひとつだった。そろそろおいとましようと腰を上げかけたとき、短身痩軀で髪を短く刈り込んだ男が台所に入ってきて、興奮した様子でわめきたてた。面談者の夫だ。

「おまえは誰だ。なんでそんな質問をするんだ。怪しい奴め。身分証明書を見せろ」。

あいにく私はパスポートを携帯していなかった。紛失が心配で家に置きっぱなしにしていたのだ。

代わりに日本語と英語で印刷された名刺を渡したが、男は「そんなもの簡単にねつ造できる。日本人なんて嘘だろう」と、さらに激高して睨みつける。ついさっきまで私と穏やかに談笑していた妻にとりなし役を期待したものの、彼女は事を荒立てる夫に腹を立て、言い争いのあげくに家を出て行ってしまった。結局、私は不審人物を警察に突き出したくてうずうずしている男の家に取り残された。

待つことおよそ二〇分。二人の屈強な男性警官が現われ、私と向かい合わせに座ると「カバンの中身を全部出せ」と要求する。しかたなく、筆記用具、メモ帳、携帯電話、ＩＣレコーダーとデジタルカメラを引っ張り出してテーブルの上に置いた。さらにカバンのなかをまさぐると、Ａ４の紙二枚をホッチキスで閉じたロシア語の質問票に手が触れた。見せていいことはなさそうだったが、あとで本格的な身体検査をされたら、なぜ隠していたのかと問い詰められ、余計不利になるかもしれない。若干躊躇したあげく質問票を警官に手渡すと、案の定、彼らの眉がつりあがった。

警官たちは、家の主人に書かせた告訴状を受け取ると、私についてくるよう命じた。そそくさと身支度をして集合住宅の階段を下り、パトカーが止めてあった中庭に出る。警察署に向かう車中、黙っていると不安な気持ちがわき上がってくるのを感じて、私は後部座席から警官の背中に話しかけた。

「不法侵入じゃないことは、見ればわかるでしょう。警察だって、事件にしたら余計な仕事が増えるだけじゃないですか」。

「告訴状が出されたから、なかったことにはできんよ。あんたは運が悪かったたってことだな」。

警察署の薄暗い廊下では、警官たちがせわしなく歩き回っていた。私を連行した二人が手に持った質問票をひらひらさせながら、同僚に「罪状」を説明する。すると、渋い顔で「おまえにはカザフスタン市民にこんなことを聞く権利はない。おまえの行動は我が国の安全を脅かすものだ」とすごむ警官がいる一方で、「え、日本人なの？　日本人ってカザフ人とＤＮＡが同じなんだってね」と場違いな話題を持ち出してくる、のんきな警官もいた。

私は廊下に立たされたまま、カザフスタンでの所属先や仕事内容について質問された。続いて、警官の一人が携帯をよこせと言う。彼は慣れた手つきで素早く操作していたが、しばらくして「なにも消さないように」と念を押しつつ返してくれた。それはありがたかったものの、なぜ没収しないのか逆に不思議な気がした。幸いなことに、ＩＣレコーダーは見向きもされなかった。

廊下の突き当たりの右手には、六畳くらいの殺風景な取調室があった。真ん中に二つ、隅に一つ、机が置かれている。そこで私は壁際に立つように命じられた。身長を示す目盛りを背にして番号板を持ち、正面と横から一枚ずつ写真撮影。いわゆる「マグショット」だ。まるでテレビドラマか映画みたいだなと思っていると、こんどは隅に座っていた若い警官が「手を出せ」と言う。彼は私の両手に小さなローラーで黒インクをべっとりとつけ、用紙に一本ずつ指を押しつけて指紋を採取した。それが終わると、次は手のひら全体だ。

この真っ黒な手をどうしよう、と立ち尽くしていると、廊下にいた警官に手招きされた。無愛想なこの警官は、隅に穴が開いた長方形の箱を傾け、私の手のひらに白い粉をごそっと乗せた。洗濯用洗剤だ。そして取調室の向かい側の、扉のないトイレを指さした。小さな洗面台の先には異臭を放つ和式の便器が見えたが、薄暗く、壁も床も黒ずんでいたおかげで、汚れはさほど目立たなかった。

冷たい水で両手を洗いながら、粉洗剤はインクがよく落ちるなと妙に感心していると、次は移民警察に行くと告げられた。このとき道案内してくれた警官はとても紳士的で、私も犯罪人扱いからようやく解放された気分になった。世間話をしながら少し歩くと、見覚えのある建物に着いた。カザフスタンに着いてからすぐ、外国人登録をしたところだ。

私が連れてこられたアルマル地区警察署は、アルマトゥ市全体を管轄する移民警察に隣接している。二階の大部屋でしばらく待たされたあと、移民警察のトップの執務室に呼び入れられた。彼は部下から手渡された私の質問票を一瞥すると、「こういう調査は今後、二度とやらないように。わかったか？」と重々しく告げたのである。

だが、結論から言えば、私は警察でこれ以上の取り調べを受けることはなかった。しばらく「冷却期間」を設けることにはなったが、幸い、その後も同じテーマで調査を続けることができたのである。


いうまでもなく、贈収賄はセンシティブな問題である。とくに袖の下を受け取っている側は、当然ながらそのことについて触れられたくはないだろう。その典型が警察だ。ちなみに、あとで聞いたことだが、私を警察に突き出した男性は以前、税関に勤めていたという。彼自身、収賄で稼いでいたのだとすれば、賄賂についてあれこれ質問する外国人を警戒するのも無理はない。

しかし、カザフスタンで贈収賄について語るのはタブーかというと、決してそうではない。メディアにはそうした話題があふれているし、与党や政府機関が実施した調査でも、その蔓延や組織性が指摘されている。私自身、ヌル・オタン党の反腐敗研究センターを訪問し、センター長から腐敗に関する報告書をご恵贈いただいたことがある。発行部数こそ少ないが、その内容は、権威主義的な体制にはそぐわないほど率直だった。

どこまで調べることが可能で、どこからがダメなのか。なにについて語ることが許され、なにが禁じられているのか。それらの境界線は必ずしも明確ではない。

カザフスタンでの調査は、こうしたあいまいさに悩み、ときにはつまずきながら、手探りでおこなってきた。曲がりなりにもそれが可能となったのは、現地の方々のご厚意のおかげである。人数の多さに加え、ご迷惑をおかけする可能性も排除できないため、ここでお名前をすべて挙げることは差し控えたい。さまざまな場面で手助けしてくれたカザフスタンの友人・知人には、深く感謝している。彼らとの何気ない会話のなかから、研究上のヒントや重要な情報を得たこともしばしばだった。

私にとって、老若男女、民族も職業も多様な市井の人びとへのインタビューは、たいへん興味深いものだった。しかし、自分の国の負の側面についてあれこれ質問されるのは、心地よいことではなかったはずだ。にもかかわらず、時間を割いてインタビューに応じてくださった方々には、心からの謝意を表したい。面談者のバックグラウンドは巻末の「附録」に記したとおりである。

これほど多くの聞き取りをおこなうことができたのは、社会学者のボタゴズ・ラキシェヴァさんと、彼女が引き合わせてくれた二人の有能な調査協力者のおかげである。彼女たちは幅広いネットワークを持っていただけでなく、私の調査テーマをよく理解し、熱心に手助けしてくれた。

本調査では一般の方々のほか、法律家や政治家、ジャーナリスト、非政府組織（ＮＧＯ）の活動家などにも、お話をうかがっている。これらの専門家とコンタクトを取るにあたっては各方面から協力を得たが、なかでも大きかったのがドスム・サトパエフさんからのサポートである。くわえて、カザフスタンを代表する政治学者である同氏との対話からは、多くのことを学ばせていただいた。

筑波大学のクアニシ・タスタンベコヴァさんには、彼女自身の専門である教育分野に関する調査で、寛大なご助力をいただいた。タスタンベコヴァさんのご家族との出会いは、教育現場の「システム」に屈しない教育者が確かに存在することを教えてくれた。

私は以前から、ヴラディーミル・カドゥルバエフ氏のユニークな風刺画のファンだったが、同氏にオリジナルの本扉イラストを描いていただけたのは、望外の喜びである。また、貴重な写真をご提供いただいたヴラディーミル・ザイキン氏およびヴァディム・ボレイコ氏にも、謝意を表したい。

本書は、日本貿易振興機構アジア経済研究所二〇一八年度研究会「社会主義後の非公式な交換――カザフスタンの事例」の成果である。また、本研究を進めるにあたって、一部、日本学術振興会科学研究費（JP18K11834）の助成を受けた。ただし、本書に示された見解はあくまで著者個人に属する。

また本書は、二〇一三年から一九年にかけて発表した論文等を基にしつつ、それらに新たな内容を書き加えて大幅に改稿し、まとめたものである。本書の性格上、先行研究への言及は最小限にとどめため、ご関心のある読者は、「初出一覧」に掲載した既発表の論考を参照していただきたい。

勤務先では、研究発表の際に同僚諸氏から貴重なコメントをいただいたほか、出版に至るまでの実務的な過程でさまざまなサポートを得た。また、査読者や審査員として草稿に目を通し、有益な助言をくださった研究所内外の方々に、厚くお礼申し上げる。

本書の執筆は、アジア経済研究所の編集・出版アドバイザーである勝康裕さんに多くを負っている。数年間におよぶ勝さんの叱咤激励と、本づくりに関する具体的かつ的確な助言がなければ、ここまでたどり着くことはできなかっただろう。また、昨今の出版不況にもかかわらず、この企画を実現してくださった白水社編集部の竹園公一朗さんにも深謝したい。研究テーマを面白いと言ってくれる編集者との出会いを、何よりも幸運なことと思っている。

この調査を始めたころに幼児だった息子は、小学四年生になった。この間、フィールドワークをはじめとする研究活動を続けることができたのは、ひとえに周囲の理解と支えがあってのことである。なかでも体調面で不安を抱えた時期、傍らで手を貸してくれた姉には、特別な感謝を伝えたい。最後に、つねに娘の意志を尊重し応援し続けてくれた両親に、拙書を捧げる。

二〇一九年九月

岡　奈津子

解説　岡奈津子さんと『〈賄賂〉のある暮らし』のこと

宇山　智彦

二〇一九年一一月に刊行された本書は、すぐに書評やネット上の読者感想で好評を得、二〇二〇年には現代アジア研究における独創的かつ優れた業績に与えられる樫山純三賞（一般書賞）を受賞した。誰もが、著者・岡奈津子さんの研究のいっそうの発展を楽しみにしていただろう。しかし二〇二二年一月二七日、岡さんは急逝した。その早すぎる死から既に二年が経つが、私を含む友人たちの心からは、今も衝撃と悲しみが消えない。

私が岡さんと最初に会ったのは、一九八八年の晩春か初夏の頃、東京大学教養学部教養学科ロシア科への進学希望者に対して、私たち三年生が開いた説明会の時だった。目の輝きが印象的で、優秀で快活な人であることは一目で分かった。その年の秋の進学内定以降、ロシア科の学生室や飲み会で学生同士が会う時、岡さんの話はいつも面白く刺激的だった。彼女は日韓学生会議で活動するなど社会的・政治的な関心が鋭いだけでなく、個人的にも話題豊富な人だった。

間もなく日本とソ連の政府間合意により、日本人学生のためのソ連政府奨学金留学制度が始まり、岡さんは第二期生として一九九〇年から九一年にモスクワ国立教育大学に留学した。私はその一年前に第一期生としてモスクワ国立大学に留学していたのでいろいろ情報交換をしたが、一年でソ連体制の動揺は一段と激しくなっていた。社会経済状況も混迷する中でソ連の人たちとつきあったことは、市民の生活感覚に密着する研究スタイルの原点になったのではないかと思う。

岡さんの学生時代の研究上の関心は（旧）ソ連の朝鮮人（高麗人）の歴史と現状で、修士論文のテーマは「ロシア極東における朝鮮人社会の政治・経済的変容――農業集団化と強制移住」であった。のち、二〇〇六年には半谷史郎氏との共著で『中央アジアの朝鮮人――父祖の地を遠く離れて』を東洋書店のユーラシア・ブックレットの一冊として出しており、研究人生の前半では、岡さんは何よりも旧ソ連の朝鮮人に関する信頼できる専門家として知られていた。

旧ソ連の朝鮮人を研究する際にも岡さんは、一九三七年の強制移住後の朝鮮人の主な居住地である中央アジアに関心を持っていたが、一九九四年に修士課程を修了してアジア経済研究所（アジ研）に入所すると、同研究所で中央アジアにおける市場経済化についての研究プロジェクトに参加したこともあって、中央アジア、特にカザフスタンの研究を本格化させた。入所した年の九月に岡さんはアジ研の調査団の一員として中央アジアを訪れ、私は在カザフスタン日本大使館の専門調査員として調査団を迎えた。岡さんと一緒にカザフスタンの政府関係者や研究者、民族運動家などを訪れて調査したり、大使館の兼轄国だったクルグズスタン（キルギス）での国際学会に参加したりしたのは、楽しい思い出である。

一九九五年に岡さんはカザフスタンにおける国有企業民営化について、現地の調査機関に世論調査を委託した。このような委託調査は日本の中央アジア研究の中で先駆的な取り組みであり、一般市民の見方を重視する岡さんの研究手法の確立の一過程でもあった。一九九九年から二〇〇一年にはアジ研の海外派遣員、カザフスタン発展研究所の客員研究員としてアルマトゥに滞在し、主に野党系の政治活動家や民族団体の関係者、アナリスト、ジャーナリストなどと幅広い人脈を作って交流した。岡さんと親交の深かった著名な政治アナリスト、ドスム・サトパエフ氏が回想するように、カザフスタンの政治研究・政治評論の専門家集団の中で、「奈津子さんは同僚、パートナー、友人であり、身内のような人になった」のである。そして、この滞在中およびその後の調査の成果として、岡さんはカザフスタンのロシア人、ウイグル人、ウズベク人、外国からの帰還カザフ人に関する論文や、カザフスタンの政治体制・政治エリートについての論文を次々と発表し、国際的にも知られる研究者となった。

二〇一〇年頃から岡さんは、カザフスタンの市民にとって深刻な社会問題の一つである腐敗（賄賂やコネ）という、新しいテーマを研究し始めた。私の個人的経験では、カザフスタンの腐敗は二〇〇〇年前後が一番ひどく、外国人であってもたびたび直面する問題だった。私自身は一度も賄賂を払わずに切り抜けたものの、警官が金欲しそうな目で車や通行人を呼び止めることがしばしばあった。空港の税関で所持金を数えろと言われ、数えている間に札を抜き取られそうになったことさえある。

研究資料を扱う公的機関で、明らかに公式ではない料金を請求されたこともある。その後、空港には不正を見かけたら通報してくださいという掲示が張られるなど、外国人に対するカザフスタンの体面にかかわるような腐敗は減っていった。現地の人々からは相変わらず腐敗はさまざまな場面にあると聞いていたが、その実態を詳しく知るには、相当深く社会に入り込んだ調査をする必要があった。岡さんはまさにそのような難しい課題に取り組んだのである。日本であれ外国であれ政治や社会の不正に目をつぶらない、正義感の強い岡さんらしいテーマ選択でもあった。

この研究のために、岡さんは二〇一一年にアジ研の海外調査員として、今度は家族同伴でアルマトゥに滞在した。息子さんが保育園で覚えたカザフスタン国歌を歌うビデオは、ネット上で大いに話題になったものである。この滞在は手続き的な問題で予定よりも早く切り上げざるを得なかったが、岡さんはその後も粘り強く調査を続けた。言うまでもなく、腐敗に関する調査は勇気を必要とし困難を伴うもので、本書のあとがきに書かれているように警察に突き出されることさえあった。それでも入国禁止や調査禁止にならなかったのは、カザフスタンのある種の度量の広さと言えよう。

岡さんの腐敗研究の成果は、*Central Asian Survey*、*Problems of Post-Communism*、*Central Asian Affairs* という三つの国際学術雑誌に発表された。こうして研究の学問的な価値が国際的に認められたうえで刊行されたのが、本書である。本書は学術調査に基づく本でありつつ大変分かりやすく書かれており、改めて内容をまとめ直す必要はないだろうが、四つ特徴を挙げておきたい。

第一に、カザフスタンでの贈収賄の実態が衝撃的とも言えるほど鮮明に描写され、しかも警察、裁判、兵役、税関、ビジネス関連の行政手続き、教育、医療などの分野別に、腐敗の特徴が詳細に分析されている。第二に、腐敗と市場経済化後の社会の変化との関係が考察され、生活のスピードが速くなって手続きの時間や手間を省きたい人が増えたことや、カネの需要が増え、公職に就くための贈賄の費用を就任後の収賄によって回収するという構造的な問題が深刻化したことが示されている。第三に、コネとカネの使い分けや組み合わせの問題が掘り下げられている。不正行為ないし問題処理の中心的手段が、ソ連時代にはコネだったのが、市場経済化の進展後にはカネになったということは先行研究で明らかにされてきた通りではあるが、強いコネを持っている人ほどカネを効果的に使うことができる（八〇頁）というのは岡さんの重要な指摘である。第四に、腐敗に厳しい目を向けているのは当然だが、単に悪として糾弾するのではなく、むしろ腐敗した社会の中での人々の「サバイバル戦略」と「たくましい暮らしぶり」（一〇頁）に注目している。

カザフスタンを含む中央アジアにおける腐敗の問題には、本書で引用されているエングヴァル、マックマン、シャリポヴァ各氏をはじめ、欧米や現地の研究者も注目し、多くの研究を発表してきた。しかしそれらの研究は、「非公式の制度」としての腐敗の構造・機能を関心の中心とするものであり、本書ほど生活に密着した形で腐敗の実態を明らかにした研究はほぼない。このような研究を可能にしたのは、岡さんの卓越したロシア語能力と、人と本音で話し合える関係を築くコミュニケーション能力である。沼野充義氏が本書の書評（『毎日新聞』二〇二〇年二月二三日）で述べたように、「研究者としての人間的力量」と言ってもよい。本書はもちろん学問的な方法に則って書かれているが、几帳面な文章の向こう側に、カザフスタンの人々と喜怒哀楽を共にした岡さんの優しい目を感じることができるだろう。

本書がカザフスタンの腐敗の実態を正確に描いていることに疑問の余地はないが、腐敗の程度について読者に誤解を与えないよう、三つのことをあえて指摘しておきたい。まず、カザフスタンの人々全員が腐敗にかかわっているわけではもちろんない。本書六〇頁によれば、委託調査で、過去二〇年間に問題解決のために金品を渡したことがあると回答したのは四割近くにとどまっており、これが過少報告である可能性は高いにせよ、腐敗と一線を画して生きている人が相当数いることは間違いない。第二に、各種の国際的評価によれば、カザフスタンの腐敗の程度は旧ソ連諸国や開発途上国の中で特別に悪い方ではない。トランスペアレンシー・インターナショナル（ＴＩ）の二〇一七年世界腐敗バロメーターによれば、カザフスタンで過去一二か月に自分または家族が賄賂を払ったと答えたのは一七％、警察・行政など基本的サービスへのアクセスがあった人の中に限れば二九％である。後者について国際比較すれば、インド（六九％）、ベトナム（六五％）、タジキスタン（五〇％）、ロシア（三四％）などより低い。第三に、カザフスタン政府は腐敗の問題を放置しているわけではなく、対策は限定的ではあれ効果を挙げている。特にナザルバエフ大統領（当時）が二〇〇〇年代半ばから始め、現在では世界的にも先進的と評される行政のデジタル化は、公務員と住民の人的接触による腐敗の可能性を減らしている。ＴＩの総合的な腐敗認識指数でのカザフスタンのスコアは、二〇一六年まで（岡さんが主な調査をした時期に当たる）は二〇台だったが、その後徐々に向上して二〇二〇年以降は三〇台後半となり、二〇二〇年の順位は世界一八〇か国中一〇一位と、中位水準になっている。

腐敗の程度の問題を含め、本書について岡さんと意見交換したいことはたくさんあったが、本書刊行後間もなくコロナ禍が始まり、札幌に住む私と岡さんが直接会う機会はなくなってしまった。二〇二二年一月初めにはカザフスタン各地で抗議集会と暴動が起き、三年近く前に大統領職を退きながら実権を握り続けていたナザルバエフの失脚につながった。岡さんはフェイスブックにタルドゥコルガン市からのニュース映像へのリンクを載せ、「ナザルバエフ初代大統領像を倒そうとする市民。カザフスタンで見ることになるとは。」とコメントしている。岡さんの訃報を聞いたのは、カザフスタンの状況が大体落ち着き、事件と今後の見通しを分析する座談会か何かを彼女と企画しようかと思い始めたその時だった。

それから一か月も経たない二〇二二年二月二四日には、ロシアによる本格的なウクライナ侵攻が始まった。ロシアと近い関係にあると同時に潜在的脅威を抱えているカザフスタンでも、ロシアへの警戒感が強まっている。モスクワで青春の一年を過ごしてロシアの良い面も悪い面も知り、プーチン政権がまさに悪い面（特に大国主義）を前に出す方向にロシアを導いていることを憂えている私は、この侵略に強い悲しみと怒りを感じると同時に、似た経歴を持つ岡さんならどのような発言をするだろうと思った。そのほかにもいろいろな問題について岡さんの意見を聞きたいと思い、今も心の中で呼びかけている。答えは返ってこないが、岡さんの優しさと正義感を指針として生きていくことが、私たち残された者の務めなのだろう。

（二〇二四年一月二七日）

＊岡さんの研究業績について詳しくは以下を参照。
宇山智彦「岡奈津子氏の研究業績――概観と一覧」『日本中央アジア学会報』第一八号、二〇二二年、二六―三四頁。同じ号に、文中でも言及したドスム・サトパエフ氏の回想「大切な奈津子さんに捧げる」も掲載されている。この号の全文は、間もなく北海道大学学術成果コレクションＨＵＳＣＡＰで公開される予定である。

【初出一覧】

プロローグ：書き下ろし

第1章：「カザフスタンにおける日常的腐敗――フィールドワークに基づく考察」『アジ研ワールド・トレンド』第二〇九号（二〇一三年二月）、三七～四二頁。

第2章：“Informal Payments and Connections in Post-Soviet Kazakhstan,” *Central Asian Survey* 34, no. 3 (2015), pp. 330-340.「市場経済化後のカネとコネ――カザフスタンの人々の暮らしはどう変わったのか」『アジ研ワールド・トレンド』第二三八号（二〇一五年八月）、五一～五七頁。

第3章：「警官はなぜ賄賂を取るのか――カザフスタンの事例」『アジ研ワールド・トレンド』第二六三号（二〇一七年九月）、二八～三五頁。「デニス・テン選手を悼んで――フィギュアスケーターの死がカザフスタン社会に問いかけたもの」（「IDEスクエア」二〇一八年八月）<https://www.ide.go.jp/Japanese/IDEsquare/Column/ISQ000001/ISQ000001_002.html>。

第4章：前掲「警官はなぜ賄賂を取るのか」。“*Agashka* (Kazakhstan),” in Alena Ledeneva, ed., *The Global Encyclopaedia of Informality: Understanding Social and Cultural Complexity*, Vol. 1 (London: UCL Press, 2018), pp. 86-88.

第5章：“Grades and Degrees for Sale: Understanding Informal Exchanges in Kazakhstan's Education Sector,” *Problems of Post-Communism* (published online: May 30, 2018), DOI: 10.1080/10758216.2018.1468269.「『点数・学位売ります』――カザフスタンの教育機関における不正とその構造」『アジ研ワールド・トレンド』第二二九号（二〇一四年一一月）、三八～四六頁。

第6章：“Changing Perceptions of Informal Payments under Privatization of Health Care: The Case of Kazakhstan,” *Central Asian Affairs* 6, no. 1 (2019), pp. 1-20.「命の沙汰も金次第――カザフスタンの医療分野における贈収賄」『アジ研ワールド・トレンド』第二四九号（二〇一六年七月）、三二～三八頁。

エピローグ：書き下ろし

著者略歴

岡奈津子（おか・なつこ）
一九六八―二〇二二年。一九九四年、東京大学大学院総合文化研究科にて修士号を取得後、アジア経済研究所に入所。二〇〇八年、リーズ大学政治国際関係学科博士号（PhD）取得。アジア経済研究所主任研究員、新領域地域研究センター・ガバナンス研究グループ長などを歴任。専門は中央アジアの政治と社会。本書で樫山純三賞を受賞。

新版〈賄賂〉のある暮らし
市場経済化後のカザフスタン

二〇二四年二月一五日 印刷
二〇二四年三月一〇日 発行

著者 © 岡 奈津子
編集 勝 康裕
発行者 岩堀 雅己
印刷所 株式会社 精興社
発行所 株式会社 白水社

東京都千代田区神田小川町三の二四
電話 営業部 〇三(三二九一)七八一一
編集部 〇三(三二九一)七八二一
振替 〇〇一九〇―五―三三二二八
郵便番号 一〇一―〇〇五二
www.hakusuisha.co.jp
乱丁・落丁本は、送料小社負担にてお取り替えいたします。

加瀬製本

ISBN978-4-560-09283-5

Printed in Japan

索　引

附録 1　インタビュー実施一覧（重複を含む）

	職業	民族	性	年齢[1]	日付	実施地[2]
1	会社員	カザフ	男	20代	2011/ 6/11	アルマトゥ
2	家政婦，元看護師	カザフ	女	40代	2011/ 7/ 7	アルマトゥ
3	政党幹部	ロシア	男	50代	2011/ 7/14	アルマトゥ
4	弁護士	ロシア	男	50代	2011/ 7/15	アルマトゥ
5	医師	カザフ	男	30代	2011/ 7/20	アルマトゥ
6	NGO職員	ロシア	女	30代	2011/ 7/30	アルマトゥ
7	自営業（小売）	ロシア	女	40代	2011/ 8/ 2	アルマトゥ
8	自営業（小売）	ロシア	男	40代	2011/ 8/ 2	アルマトゥ
9	大学教員	カザフ	男	40代	2011/ 8/ 2	アルマトゥ
10	主婦，元ジャーナリスト	ロシア	女	20代	2011/ 8/ 3	アルマトゥ
11	政党幹部	カザフ	男	40代	2011/ 8/ 4	アルマトゥ
12	会社員	ロシア	女	20代	2011/ 8/ 9	アルマトゥ
13	大学教員	カザフ	女	40代	2011/ 8/10	アルマトゥ
14	元大学教員	カザフ	女	30代	2011/ 8/13	アルマトゥ
15	会社員	カザフ	男	30代	2011/ 8/17	アルマトゥ
16	NGO幹部	ロシア	男	20代	2011/ 8/19	アルマトゥ
17	法律家	ロシア	男	40代	2011/ 8/24	アルマトゥ
18	NGO活動家	カザフ	男	30代	2011/ 8/26	アルマトゥ
19	評論家	カザフ	男	30代	2011/ 8/31	アルマトゥ
20	NGO代表	ロシア	女	40代	2011/ 9/ 1	アルマトゥ
21	政党幹部	カザフ	男	50代	2011/ 9/ 8	アルマトゥ
22	研究員	カザフ	女	20代	2011/ 9/16	アルマトゥ
23	会社員	ロシア	女	20代	2011/ 9/26	アルマトゥ
24	ジャーナリスト	カザフ	女	60代	2011/10/ 5	アルマトゥ
25	政党職員	カザフ	男	40代	2011/10/14	アルマトゥ
26	会社員	ロシア	女	20代	2011/10/17	アルマトゥ
27	主婦	ロシア	女	40代	2011/10/24	アルマトゥ
28	主婦	ロシア	女	20代	2011/10/24	アルマトゥ
29	主婦	カザフ	女	40代	2011/10/25	アルマトゥ
30	主婦	ウクライナ	女	40代	2011/10/26	アルマトゥ
31	年金生活者	ロシア	女	60代	2011/10/26	アルマトゥ
32	年金生活者	ロシア	女	60代	2011/10/27	アルマトゥ
33	主婦	ロシア	女	40代	2011/10/28	アルマトゥ
34	元会社員	カザフ	男	40代	2011/10/31	アルマトゥ
35	会社員	ロシア	男	40代	2011/11/ 2	アルマトゥ
36	会社員	ロシア	女	40代	2011/11/ 2	アルマトゥ
37	家政婦	カザフ	女	40代	2011/11/ 4	アルマトゥ
38	家政婦，元看護師	カザフ	女	40代	2011/11/ 8	アルマトゥ
39	教師	ウクライナ	女	40代	2011/11/ 8	アルマトゥ
40	無職	ロシア	女	50代	2011/11/ 9	アルマトゥ
41	販売員	カザフ	女	50代	2011/11/ 9	アルマトゥ
42	タクシー運転手，元税関職員	カザフ	男	30代	2011/11/10	アルマトゥ

	職 業	民 族	性	年齢	日 付	実施地
43	自営業（小売）	ロシア	女	30代	2011/11/10	アルマトゥ
44	年金生活者	カザフ	男	70代	2011/11/16	エスク
45	年金生活者	カザフ	女	60代	2011/11/16	エスク
46	学校長	カザフ	女	50代	2011/11/16	エスク
47	会社員	ロシア	男	20代	2011/11/19	アルマトゥ
48	元大学教員	カザフ	女	40代	2011/11/29	アルマトゥ
49	ベビーシッター	ロシア	女	30代	2011/11/30	アルマトゥ
50	大学教員	カザフ	女	30代	2011/12/ 1	アルマトゥ
51	自営業（小売）	ロシア	女	50代	2011/12/ 2	アルマトゥ
52	主婦	ウイグル	女	30代	2011/12/ 5	アルマトゥ
53	会社経営者，元内務省職員	カザフ	男	50代	2011/12/ 6	アルマトゥ
54	飲食店勤務	タタール	女	30代	2011/12/ 7	アルマトゥ
55	大学教員	ロシア	女	不明	2012/10/ 3	ヌル＝スルタン
56	大学教員	ロシア	男	不明	2012/10/ 3	ヌル＝スルタン
57	大学教員	カザフ	男	不明	2012/10/ 4	ヌル＝スルタン
58	大学教員	カザフ	男	50代	2012/10/ 4	ヌル＝スルタン
59	ジャーナリスト	カザフ	男	40代	2012/10/ 9	アルマトゥ
60	会社員	ロシア	女	40代	2012/10/ 9	アルマトゥ
61	ベビーシッター，元自営業（小売）	カザフ	女	40代	2012/10/ 9	アルマトゥ
62	公立病院職員	ロシア	女	30代	2012/10/10	アルマトゥ
63	会社員	ロシア	女	30代	2014/ 5/25	ヌル＝スルタン
64	公務員	カザフ	男	20代	2014/ 5/25	ヌル＝スルタン
65	自営業（小売）	カザフ	女	40代	2014/ 5/26	アルマトゥ
66	自営業（小売）	カザフ	男	40代	2014/ 5/26	アルマトゥ
67	年金生活者	朝鮮	女	60代	2014/ 5/26	アルマトゥ
68	年金生活者	ウイグル	女	60代	2014/ 5/26	アルマトゥ
69	大学教員	カザフ	女	40代	2014/ 5/26	アルマトゥ
70	会社員，元内務省職員	カザフ	男	30代	2014/ 5/26	アルマトゥ
71	会社経営者	ロシア	男	40代	2014/ 5/27	アルマトゥ
72	年金生活者	ウクライナ	女	60代	2014/ 5/27	アルマトゥ
73	会社員	その他[3)]	女	50代	2014/ 5/27	アルマトゥ
74	会社経営者	タタール	男	50代	2014/ 5/27	アルマトゥ
75	自由業（社会調査）	カザフ	女	30代	2014/ 5/28	アルマトゥ
76	主婦	カザフ	女	20代	2014/ 5/28	アルマトゥ
77	自営業（小売）	カザフ	女	50代	2014/ 5/28	アルマトゥ
78	元教師	カザフ	女	40代	2014/ 5/28	アルマトゥ
79	家政婦	カザフ	女	30代	2014/ 5/29	アルマトゥ
80	タクシー運転手	ウイグル	男	20代	2014/ 5/29	アルマトゥ
81	元教師	カザフ	女	50代	2014/ 5/29	アルマトゥ
82	大学教員	ドゥンガン	男	20代	2014/ 5/29	アルマトゥ
83	NGO活動家	カザフ	男	40代	2014/ 5/29	アルマトゥ
84	司書	カザフ	女	50代	2014/ 5/30	アルマトゥ

	職業	民族	性	年齢	日付	実施地
85	教師	カザフ	女	40代	2014/ 5/30	アルマトゥ
86	図書館勤務	カザフ	男	40代	2014/ 5/30	アルマトゥ
87	自営業（小売）	カザフ	女	50代	2014/ 5/30	アルマトゥ
88	主婦	カザフ	女	50代	2014/ 5/31	アルマトゥ
89	学生	カザフ	女	20代	2014/ 5/31	アルマトゥ
90	会社員	カザフ	女	40代	2014/ 5/31	アルマトゥ
91	自由業（社会調査）	カザフ	女	40代	2014/ 5/31	アルマトゥ
92	主婦	カザフ	女	30代	2015/ 5/20	アルマトゥ
93	自由業	カザフ	女	40代	2015/ 5/20	アルマトゥ
94	運転手	カザフ	男	30代	2015/ 5/20	アルマトゥ
95	公務員	カザフ	女	30代	2015/ 5/20	アルマトゥ
96	会社員	カザフ	女	50代	2015/ 5/20	アルマトゥ
97	画家	カザフ	男	20代	2015/ 5/21	アルマトゥ
98	無職	カザフ	男	50代	2015/ 5/21	アルマトゥ
99	会社員	カザフ	女	40代	2015/ 5/21	アルマトゥ
100	運転手	カザフ	男	50代	2015/ 5/21	アバイ
101	看護師	カザフ	女	40代	2015/ 5/21	アバイ
102	自営業（飲食）	ウイグル	男	30代	2015/ 5/22	アルマトゥ
103	自営業（飲食）	ロシア	女	30代	2015/ 5/22	アルマトゥ
104	自営業（飲食）	トルコ	男	30代	2015/ 5/22	アルマトゥ
105	電気技師	ロシア	男	30代	2015/ 5/22	アルマトゥ
106	警備員	カザフ	男	40代	2015/ 5/22	アルマトゥ
107	自営業（小売）	カザフ	男	30代	2015/ 5/23	カプシャガイ
108	自営業（小売）	ロシア	男	20代	2015/ 5/23	カプシャガイ
109	年金生活者	カザフ	男	60代	2015/ 5/23	カプシャガイ
110	会社員	カザフ	女	40代	2015/ 5/23	カプシャガイ
111	学生	カザフ	男	20代	2015/ 5/24	アルマトゥ
112	無職	カザフ	女	50代	2015/ 5/24	アルマトゥ
113	運転手	カザフ	男	40代	2015/ 5/24	アルマトゥ
114	学校事務	カザフ	女	30代	2015/ 5/24	アルマトゥ
115	年金生活者	ウイグル	女	50代	2015/ 5/25	アルマトゥ
116	看護学生	ロシア	女	10代	2015/ 5/25	アルマトゥ
117	看護学生	カザフ	女	10代	2015/ 5/25	アルマトゥ
118	年金生活者	カザフ	女	50代	2015/ 5/25	アルマトゥ
119	教師	ロシア	女	40代	2015/ 5/26	アルマトゥ
120	会社員	ロシア	女	40代	2015/ 5/26	アルマトゥ
121	会社員	朝鮮	女	50代	2015/ 5/26	アルマトゥ
122	会社員	カザフ	男	50代	2015/ 5/26	アルマトゥ
123	運転手	カザフ	男	40代	2015/ 5/27	アルマトゥ
124	会社員	カザフ	女	40代	2015/ 5/27	アルマトゥ
125	医師	カザフ	女	50代	2015/ 5/27	アルマトゥ
126	NGO代表	カザフ	女	60代	2015/ 5/27	アルマトゥ
127	自営業（小売）	カザフ	女	50代	2015/ 5/28	アルマトゥ
128	警備員	朝鮮	男	50代	2015/ 5/28	アルマトゥ

	職業	民族	性	年齢	日付	実施地
129	学生	カザフ	女	20代	2016/10/ 1	アルマトゥ
130	年金生活者	カザフ	女	60代	2016/10/ 1	アルマトゥ
131	不明	ウイグル	女	40代	2016/10/ 1	アルマトゥ
132	自営業（小売）	ウクライナ	女	40代	2016/10/ 1	アルマトゥ
133	主婦	カザフ	女	20代	2016/10/ 1	アルマトゥ
134	年金生活者	タタール	女	60代	2016/10/ 2	アルマトゥ
135	会社員	カザフ	女	50代	2016/10/ 2	アルマトゥ
136	公務員	カザフ	女	50代	2016/10/ 3	アルマトゥ
137	自営業（小売）	ウイグル	男	40代	2016/10/ 3	アルマトゥ
138	主婦	ウイグル	女	30代	2016/10/ 3	アルマトゥ
139	自営業（自動車整備）	カザフ	男	40代	2016/10/ 4	アルマトゥ
140	大学教員[4]	カザフ	女	40代	2016/10/ 4	アルマトゥ
141	学生	カザフ	男	20代	2016/10/ 5	アルマトゥ
142	会社員	カザフ	女	40代	2016/10/ 5	アルマトゥ
143	会社員	カザフ	男	30代	2016/10/ 5	アルマトゥ
144	学生	ウイグル	女	20代	2016/10/ 5	アルマトゥ
145	会社員	ウイグル	男	20代	2016/10/ 5	アルマトゥ
146	自営業（小売）[5]	朝鮮	女	50代	2016/10/ 5	アルマトゥ
147	主婦	カザフ	女	40代	2016/10/ 6	アルマトゥ
148	学生	ウイグル	女	10代	2016/10/ 6	アルマトゥ

註：1）年齢はインタビュー当時。
2）アバイ，エスク，カプシャガイは，アルマトゥ州。
3）人口が少ない民族出身のため，民族名の記載を控えた。
4）2回目。1回目は2014年5月26日。
5）2回目。1回目は2015年5月26日。

附録2　1米ドルあたりの公式為替レート／テンゲ（1993年11月から2019年6月）

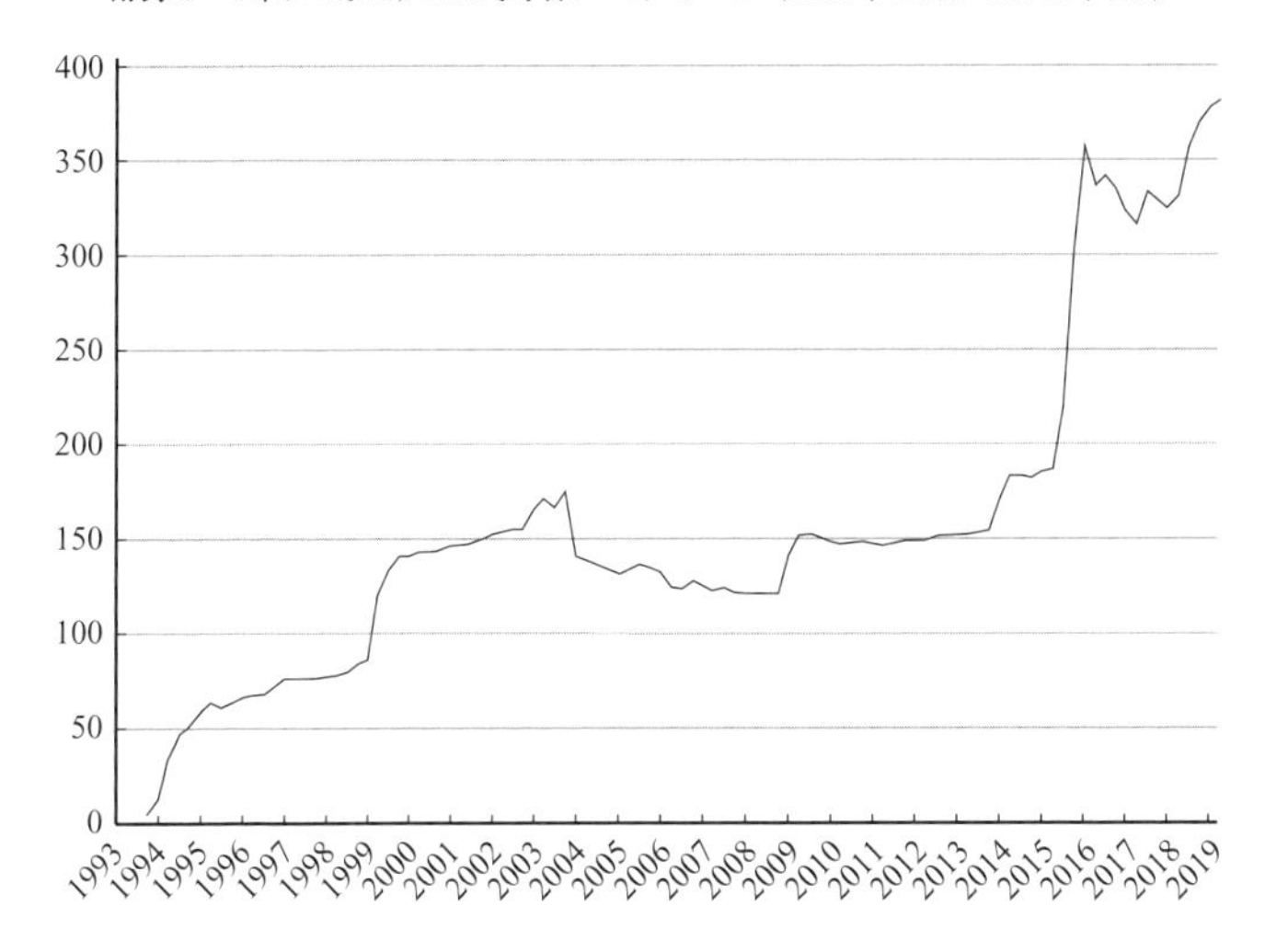

註：1）1993年11月のテンゲ導入時，1米ドルは4.69テンゲ。
　　2）2004年の第3，第4四半期，2017年の第4四半期はデータがないため，それぞれ中央値をとった。
出所：カザフスタン国立銀行ウェブサイト（https://nationalbank.kz/?docid=364&switch=english&showall）より筆者作成。